Livro de Ex

Nair Nagamine Sommer
Odete Nagamine Weidmann

Oi, Brasil!

Um curso de português para estrangeiros

Editora Hueber

Oi, Brasil!
Um curso de português para estrangeiros
Livro de Exercícios

de Nair Nagamine Sommer e Odete Nagamine Weidmann

Consultoras:
◆ Silvia Barbosa, professora de português, Escola Superior Popular (VHS) de Munique
  e Escola Superior de Munique
◆ Dr. Ruth Tobias, coordenação do Centro Linguístico da Escola Superior de Darmstadt
◆ Dr. Ângela C. Souza Rodrigues, Doutora em Filologia e Língua Portuguesa pela Universidade
  de São Paulo; professora e pesquisadora da área de Sociolinguística do Português Brasileiro,
  USP (Universidade de São Paulo)

Esta edição segue o atual *Acordo Ortográfico da Língua Portuguesa*.

| 3. | 2. | 1. | | Die letzten Ziffern |
| 2018 | 17 | 16 | 15 | 14 | bezeichnen Zahl und Jahr des Druckes.

Alle Drucke dieser Auflage können, da unverändert,
nebeneinander benutzt werden.
1. Auflage
© 2014 Hueber Verlag GmbH & Co. KG, München, Deutschland
Zeichnungen: Jörg Plannerer, Regensburg
Verlagsredaktion: Beate Dorner, Simone Malaguti, Hueber Verlag, München
Layout: Catherine Avak, München
Satz: Sieveking · Agentur für Kommunikation, München
Druck und Bindung: Kessler Druck + Medien GmbH & Co. KG, Bobingen
Printed in Germany
ISBN 978–3–19–515420–8

Art. 530_19414_001_01

Apresentação

Oi, tudo bem?

O Livro de Exercícios do *Oi, Brasil!* foi concebido para você poder trabalhar sem acompanhamento do professor, aprofundando, assim, de maneira autônoma os conteúdos aprendidos no Livro de Curso.

Para complementar as atividades apresentadas no Livro de Curso, encontra-se neste livro uma tipologia variada de exercícios para fixar o vocabulário, reforçar as estruturas gramaticais, praticar a comunicação, desenvolver as habilidades de ouvir e ler, treinar a pronúncia e a produção escrita.

As instruções das atividades estão escritas em verde. As atividades com um grau maior de dificuldade ou que exigem uma produção de texto têm suas instruções **escritas em preto**. O 🎧 indica atividades de audição, para as quais você necessita das gravações dos textos e diálogos disponíveis no CD anexado ao livro.

Para conhecer, de maneira satisfatória, as particularidades do português brasileiro, o Livro de Exercícios do *Oi, Brasil!* oferece, no final das nove primeiras lições, um breve programa de fonética com uma apresentação dos aspectos mais relevantes, seguida de exercícios para praticar a pronúncia, a entonação e a ortografia.

No final de cada lição é apresentada a atividade **Eu já...** Por meio dela você pode avaliar a sua capacidade de usar a língua em diferentes situações, semelhantes às que vivenciou nas aulas. A cada três lições há uma **Revisão** com um teste de múltipla escolha e uma **Ficha de avaliação** das habilidades ouvir, ler, falar e escrever. Na seção **Gabarito** você pode conferir as soluções dos exercícios. O **Glossário por ordem alfabética** e o **Índice do CD** encerram o livro.

Desejamos a você muito prazer e sucesso na aprendizagem do português com o *Oi, Brasil!*

A equipe do *Oi, Brasil!*

Índice

Gravação no áudio-CD com número da faixa

Primeiros contatos

A Bem-vindos!

1 Complete os diálogos.

sou (2x) • *meu nome* • *como (2x)* • *este* • *esta*

a ▲ Boa noite. *Como* é o seu nome?
  ◆ Boa noite. O .... é Joana.
b ▲ Boa tarde. Eu .... a Bete.
  ◆ Eu .... o Tiago. Boa tarde.

c ▲ Oi, Edu. .... é o Pedro e .... é a Milene.
  ◆ Oi.
d ▲ .... é o seu nome?
  ◆ Mariana. E o seu?
  ▲ Mônica.

2 Como se cumprimenta nas horas indicadas?

bom dia • *boa tarde* • *boa noite*

| 16:00 | 19:30 | 17:30 | 10:00 |

a ....
b ....
c ....
d ....

3 Relacione as partes dos diálogos.

a ▲ Boa tarde!
b ▲ Meu nome é Mônica. Muito prazer.
c ▲ Sou de Manaus. E você?
d ▲ Não, moro em São Paulo. E você? Onde você mora?

1 ◆ Moro em Salvador.
2 ◆ Sou de Brasília. Você mora em Manaus?
3 ◆ Muito prazer. Eu sou o Marcelo. De onde você é?
4 ◆ Oi, boa tarde!

4 Complete.

é • *somos* • *são* • *moro* • *mora* • *moramos* • *moram*

a ▲ Onde vocês *moram* ....?
  ◆ (Nós) .... em Belém.
b ▲ De onde vocês ....?
  ◆ (Nós) .... de Salvador e a Mariana .... de Brasília.
c ▲ Vocês .... em Lisboa?
  ◆ Eu ...., mas o meu colega .... em Faro.

d ▲ Você também .... em Genebra?
  ◆ Não, ... em Paris.
e ▲ E os seus colegas, de onde eles .... e onde eles ....?
  ◆ Os meus colegas? Eles .... de Curitiba e .... em Brasília.

5 Responda positivamente.

a O Alejandro mora em Teresina?   *Mora.*

b Vocês moram em Lima?   ....

c Você é de Lisboa?   ....

d O Alejandro é seu colega?   ....

6 Responda negativamente.

a Vocês moram em Bogotá? (Lima) *Não, (nós) moramos em Lima.*

b Vocês são de Curitiba? (Florianópolis)

c O José e a Ana são de Salvador? (Fortaleza)

d A Maria mora em Campinas? (Brasília)

e D. Aparecida, a senhora é de Múrcia? (Sevilha)

f Sr. Farias, o senhor mora em Lima? (La Paz)

7 Negue as afirmações.

a O meu nome é Carla. *O meu nome não é Carla.*

b (Nós) somos de Vitória.

c Eles moram em Nova York.

d Eu sei o número do telefone.

e Eu sou o Pedro. Eu moro em Paris.

f O Copacabana Palace é um museu.

8 Complete com as formas do verbo *ser*.

a ▲ Boa noite. Como *é* o seu nome?
   ◆ O meu nome .... Celina.

b ▲ Boa tarde. Eu .... a Elisabete.
   ◆ Eu .... o Antônio. Muito prazer.
   ▲ Muito prazer.

c ▲ Eu .... a Martina, e estas .... a Mônica e a Mariana.
   ◆ Oi, bem-vindas.

d ▲ Bom dia. Nós .... do curso de português.
   ◆ Oi, bem-vindos.

9 Escreva as frases da Cristina no diálogo.

Ah, de Belo Horizonte? E você mora em Belo Horizonte? ◆ Oi, muito prazer. Meu nome é Cristina.

Puxa, em Parati? ◆ De Porto Alegre, mas eu moro em São Paulo. E você?

▲ Oi, eu sou o Paulo César. Muito prazer.

◆ *Oi, muito prazer. Meu...*

▲ De onde você é, Cristina?

◆ ....

▲ Eu sou de Belo Horizonte.

◆ ....

▲ Não, moro em Parati.

◆ ....

▲ É, em Parati. Uma cidade muito boa para morar.

10 Maja Sieber e Fernando Martins se conhecem num café em São Paulo.
    Escreva um diálogo.

▲ ....

◆ ....

▲ ....

◆ ....

▲ ....

◆ ....

▲ ....

11 Relacione e depois assinale nas colunas a forma de cumprimento
    adequada a cada situação.

		saudação	*despedida*	*ambas*
a bom	tarde	☐	☐	☐
b até	amanhã	☐	☐	☐
c boa	logo	☐	☐	☐
d oi	a próxima semana	☐	☐	☐
e até	dia	☒	☐	☐
f boa	oi	☐	☐	☐
g até	noite	☐	☐	☐

B Oi, Ivo, tudo bem?

12 Complete.   o (3x) ◆ a (3x) ◆ este (2x) ◆ esta (2x) ◆ um (2x) ◆ uma (2x)

a ▲ Bom dia, eu sou ...a... Malu, e ....
     é .... Teresa, ... colega.
  ◆ Oi, Teresa, tudo bem?

b ▲ Olha, André, ... é .... Antônio,
     .... amigo de Salvador.
  ◆ Oi.
  ■ Oi, tudo bem?

c ▲ Boa noite. Eu sou .... Eduardo e ....
     é .... Sr. Pedro, ... colega.
  ◆ Muito prazer, Sr. Pedro, tudo bem?
  ■ Muito prazer.

d ▲ Boa tarde. D. Nina.
  ◆ Boa tarde, Clarinha.
  ▲ D. Nina, ... é .... Joana, ... amiga
     de Brasília.
  ◆ Muito prazer.
  ■ Muito prazer.

13 Risque a palavra que não pertence à sequência.

a Manaus ◆ São Paulo ◆ Lisboa ◆ Rio de Janeiro
b de onde ◆ como ◆ onde ◆ mas
c também ◆ você ◆ o senhor ◆ a senhora
d vou bem ◆ esta ◆ tudo bem ◆ vou indo
e sim ◆ boa noite ◆ boa tarde ◆ bom dia

14 Relacione as partes formando frases completas.

a Desculpe, como é   1 o senhor é?
b Este é   2 em Barcelona.
c Esta é   3 de Luanda.
d O meu nome é   4 Camille.
e De onde   5 seu nome?
f Onde vocês   6 a Marisa.
g Eu moro   7 moram?
h Eu sou   8 o Antônio.

15 O que você diz nas seguintes situações?

a Você é apresentado ao Sr. Francisco (65 anos):

b De manhã, você cumprimenta sua colega Malu (23 anos):

c Você se despede do seu colega às 21 horas:

d À tarde, você cumprimenta D. Zélia (70 anos), mãe de uma amiga sua:

16 Três jovens se encontram. Escreva um diálogo com a saudação e a apresentação.

17 Que números são mencionados? Assinale.

☐ 1 ☐ 2 ☐ 3 ☐ 4 ☐ 5 ☐ 6 ☐ 7 ☐ 8 ☐ 9 ☐ 10
☐ 11 ☐ 12 ☐ 13 ☐ 14 ☐ 15 ☐ 16 ☐ 17 ☐ 18 ☐ 19 ☐ 20

18 Que números de telefone são mencionados? Assinale.

1 Telefone da Maria Helena
  a ☐ 071/ 39 66 78 87
  b ☐ 071/ 93 67 87 78

2 Telefone do Hotel Bahia Mar
  a ☐ 071/ 34 56 87 97
  b ☐ 071/ 34 56 97 87

C Berimbau?! O que é isto?

19 Ordene as palavras de acordo com as terminações. Depois escreva o artigo adequado, _o_ (masculino) ou _a_ (feminino).

hotel ◆ escola ◆ praça ◆ bebida ◆ telefone ◆ comida ◆ instrumento

berimbau ◆ nome ◆ noite ◆ tarde ◆ Pantanal

terminação -a	terminações -o, -al, -el, -au	terminação -e

20 Complete as frases. As afirmações são verdadeiras (V) ou falsas (F)?

		V	F
a	_A_ feijoada é _uma_ bebida típic _a_ brasileir _a_ .	☐	☒
b	Copacabana Palace Hotel é reserva ecológic .	☐	☐
c	caipirinha é comida típic brasileir .	☐	☐
d	berimbau é instrumento musical afro-brasileir .	☐	☐
e	Pantanal é hotel do Rio de Janeiro famos .	☐	☐

21 Complete as perguntas. Em seguida, relacione-as às respostas.

Onde ◆ De onde ◆ O que (3x) ◆ Como (2x) ◆ Qual

a	_Como_ vai?	1	Amélia.
b	significa "calle" em português?	2	Um instrumento musical afro-brasileiro.
c	é feijoada?	3	De Buenos Aires.
d	é o número do seu telefone?	4	Em Buenos Aires.
e	você é?	5	021 / 4534 2798.
f	é berimbau?	6	_Rua._
g	é seu nome?	7	Uma comida típica brasileira.
h	vocês moram?	8	Vou bem, obrigada.

22 Ouça e anote o nome e o sobrenome de três brasileiros famosos.

	Nome	Sobrenome
a	_JU_	
b		
c		

23 A sílaba tônica é a sílaba pronunciada de maneira mais forte. Ouça e sublinhe a sílaba tônica. Ouça mais uma vez e assinale no modelo de acentuação tônica.

Modelo de acentuação tônica

● ● ● ● ● ● ● ● ●

							☐	☐	☒
a			se	-	nhor		☐	☐	☒
b	cai	-	pi	-	ri	- nha	☐	☐	☐
c			tí	-	pi	- ca	☐	☐	☐
d			ce	-	lu	- lar	☐	☐	☐

24 Ouça e sublinhe a sílaba tônica.

a Pa-ra-<u>ti</u>
b Ma-lu
c a-ma-nhã
d be-rim-bau

e mu-seu
f pra-zer
g Bra-sil

h se-<u>ma</u>-na
i a-e-ro-por-to
j te-le-fo-ne
k a-mi-go
l u-ni-ver-si-da-de

m <u>nú</u>-me-ro
n pró-xi-ma

25 Observe as últimas letras das palavras do exercício 24 e complete as regras.

antepenúltima ◆ penúltima ◆ última

a Palavras terminadas em *i, u* e *ã, au, eu* ou nas consoantes *r* e *l* têm a sílaba tônica na .... sílaba.

b Palavras terminadas em *a, o* ou *e* têm a sílaba tônica na .... sílaba.

c Palavras que têm a sílaba tônica na .... sílaba recebem sempre um acento gráfico na sílaba tônica.

d Os acentos gráficos (´) ou (^) marcam as exceções às regras de acentuação a e b:
Ca-na-**dá**, vo-**cê**, ca-**fé**, re-**pór**-ter, a-gra-**dá**-vel, **mú**-si-ca, An-**tô**-ni-o

26 Assinale a sílaba tônica. Depois ouça e controle.

a e-co-ló-gi-ca
b For-ta-le-za
c vo-cês

d Sal-va-dor
e cul-tu-ral
f jor-nal

g es-tá-di-o
h ce-lu-lar
i i-glu

j te-le-fo-ne
k pra-zer
l a-mi-go

m ja-bu-ti
n mo-rar
o fa-vor

p Pan-ta-nal
q nú-me-ro
r de-va-gar

Eu já...

	👍	✋	👎	LC
• sei dizer meu nome e perguntar a alguém pelo seu.	☐	☐	☐	1
• sei apresentar-me, apresentar alguém e reagir a uma apresentação.	☐	☐	☐	2, 10
• sei cumprimentar alguém e despedir-me.	☐	☐	☐	3–4, 9
• sei dizer de onde eu sou e perguntar a alguém de onde ele é.	☐	☐	☐	5–8
• sei dizer onde eu moro e perguntar a alguém onde ele mora.	☐	☐	☐	5–8
• sei formular perguntas para respostas sim/não e responder a elas.	☐	☐	☐	7
• sei perguntar a alguém como vai e responder a semelhante pergunta.	☐	☐	☐	10–11
• sei contar de 0 a 20.	☐	☐	☐	12
• sei dizer o número do meu telefone fixo ou celular e perguntar a alguém pelo seu.	☐	☐	☐	14
• sei perguntar pelo significado de uma palavra.	☐	☐	☐	17–19
• sei soletrar.	☐	☐	☐	20–21

Conhecendo-se melhor

A Você sabe de onde são estas bandeiras?

1 Quais são as cores das bandeiras destes países?

amarelo/-a ◆ azul ◆ branco/-a ◆ preto/-a ◆ verde ◆ vermelho/-a

a A bandeira da França é _azul, branca e_ ....

b A bandeira da Espanha é ....

c A bandeira do Brasil é ....

d A bandeira da Suíça é ....

e A bandeira da Alemanha é ....

2 Complete com *de / do / da* e *em / no / na.*

a ▲ Alejandro, _de_ onde você é?

◆ Sou .... Lima.

b ▲ Vocês são .... Haiti?

◆ Eu sou, mas ela é .... Guatemala.

c ▲ Vocês são .... Portugal?

◆ Não, somos .... Brasil, ... Brasília.

d ▲ Onde a senhora mora, D. Ana ?

◆ Eu? Eu moro .... Portugal.

▲ .... que cidade?

◆ .... Porto.

3 Relacione as perguntas às respostas.

a De onde você é?
b Você é portuguesa?
c Vocês são haitianos?
d A senhora é de Santiago?
e Onde o Jonas mora?
f Você mora na Itália?

1 Moro, em Roma.
2 Sim, somos.
3 Ele mora na Lituânia.
4 Dos Estados Unidos.
5 Não, de Valparaíso.
6 Não, sou brasileira.

4 Complete o diálogo.

Moro na Bahia, em Salvador. ◆ Sou, sim. Sou de Assunção ◆ Ah, é? E em que cidade a senhora mora?

▲ Dona Érica, a senhora é paraguaia?

◆ ....

▲ Mas a senhora fala português muito bem!

◆ Você acha? Muito obrigada. Eu moro aqui no Brasil.

▲ ....

◆ ....

5 Você está num barzinho em Salvador e começa a conversar com alguém.
Escreva um diálogo.

6 Relacione as partes. A seguir, complete as lacunas com as terminações adequadas.

a O vinho do Porto

b A Mercedes e a BMW

c A caipirinha

d A paella

e Pelé

f A tequila

1 é uma comida típic...... espanhol......

2 é o vinho portugu.ês.. mais famos.o....

3 é o jogador de futebol brasileir...... mais famos......

4 são as marcas alem...... mais famos......

5 é uma bebida mexican......

6 é uma bebida brasileir......

7 Passe para o plural.

a bebida típica brasileira

b instrumento musical

c ator francês e atriz alemã

d jornal alemão

e jogador português

f cantor inglês

8 Forme frases.

a A Folha de S. Paulo e o Globo / ser / jornal brasileiro

A Folha de S. Paulo e o Globo são jornais brasileiros.

b Fernanda Montenegro e Fernanda Torres / ser / atriz brasileira

c Toyota e Honda / ser / carro japonês

d Le Monde e Le Figaro / ser / jornal francês

Conhecendo-se melhor

B O que é que você faz?

9 Ordene as palavras nas colunas adequadas.

arquiteto • estudante • dentista • engenheiro • vendedora
programador • bancária • secretária • recepcionista

♂	♀	♂♀
o engenheiro	a	o/a estudante

10 Escreva as profissões nas palavras cruzadas. Qual é a profissão na coluna h?

11 Onde estas pessoas trabalham?

universidade • departamento de engenharia • BMW • banco • hospital

a A secretária trabalha na BMW.
b O bancário trabalha
c O engenheiro trabalha
d Ivo é estudante. Ele estuda
e A médica trabalha

12 Complete com as formas adequadas.

ser • trabalhar (3x) • estudar • falar (2x)

a ▲ Alejandro, onde você ....?
   ◆ .... numa firma americana.
b ▲ E você, Marina, o que faz?
   ◆ .... recepcionista no Hotel Nacional.

c ▲ Vocês .... português?
   ◆ Português não, mas (nós) .... italiano e francês.
d ▲ O que Sidney e Milena fazem?
   ◆ Eles .... na universidade, mas acho que eles .... também.

14

13 Leia o e-mail de Alejandro a César. Escreva um e-mail semelhante a um amigo brasileiro.

Para: cesarclara@oi.com.br
Assunto: em Curitiba

Oi, César:
Tudo bem com você e a Maria Clara? Eu vou bem. Você sabe que agora moro em Curitiba? Trabalho numa firma de motores japonesa. Sou o chefe do departamento de projetos. A firma é muito boa e o meu trabalho é muito interessante.
Um abraço para vocês dois,
Alejandro

Para:
Assunto:

C Puxa, mas você é curioso, hein?

14 Assinale os números mencionados no diálogo.

a 42 – 40 – 30 – 35 – 36

b 21 – 35 – 22 – 23 – 25

c 60 – 70 – 73 – 75 – 65

d 55 – 50 – 52 – 51 – 41

15 Quais são os números das casas e apartamentos? Anote os números mencionados.

a André: rua da Lapa, ...

b Teresa: avenida Brasil, ..., apartamento ....

c Hotel do Leme: avenida Bela Vista, ...

d Galeria de artes: avenida Paulista, ...

e Vera e Marcos: rua Bahia, ..., apartamento ....

16 Complete com as formas adequadas dos verbos *ter* e *ser*.

a ▲ Quantos anos o Marcos ...*tem*...? ◆ Acho que ele .... 25 anos.

b ◆ Marcos, você .... telefone? ▲ ....

◆ Qual .... o número? ▲ 9795 3753.

c ▲ Você .... solteiro/-a? ◆ .... Você também?

17 Escreva as perguntas.

a ....? Sou vendedora.
b ....? Sou portuguesa.
c ....? Tenho 20 anos.
d ....? Não, mas tenho e-mail.
e ....? O meu e-mail? É nara@uol.com.br

18 Relacione as partes do diálogo. Depois ouça e confira.

a Como é o seu nome e sobrenome?
b Como? Bettina…? Por favor,
   pode soletrar o seu sobrenome?
c Muito bem, a sua nacionalidade, por favor.
d E qual é a sua profissão? E sua idade?
e Bettina, qual é o seu endereço aqui no Rio?
f Qual é o número do seu telefone?
g Você tem e-mail?

1 Sou austríaca.
2 O meu telefone é 24 45 76 67.
3 Bettina Schilling.
4 Rua do Flamengo, 59.
5 S-c-h-i-l-l-i-n-g. E Bettina é com dois tes.
6 Tenho: Bett@terra.com.br
7 Estudante e tenho 23 anos.

19 Preencha o formulário de Bettina Schilling com os dados do exercício 18.

Escola de Línguas Macunaíma

Inglês – Espanhol – Alemão – Português
Cursos para adultos e jovens a partir de 15 anos.

Rio de Janeiro | Rua Botafogo, 35
Tel. 021-6738-5439 | e-mail: mac@uol.com.br

Nome:

Sobrenome: Schilling

Nacionalidade:

Profissão:

Endereço: Rua do Flamengo, 59, Rio de Janeiro

Telefone:

E-mail:

Idade: 15–20 anos ☐   21–30 anos ☐
31–50 anos ☐   mais de 50 anos ☐

20 Leia o texto de Bettina. A seguir, escreva um texto semelhante sobre você.

O meu nome é Bettina Schilling. Sou austríaca, tenho 23 anos e sou estudante. Falo alemão, inglês e um pouco de português. Sou de Salzburg e moro em Viena. Estudo português na Escola de Línguas Macunaíma, no Rio. Tenho muitos amigos brasileiros.

21 Ouça e preste atenção nas sílabas tônicas. Nas frases a, b, c elas estão sublinhadas. Nas frases d, e você sublinha as sílabas tônicas.

a **E**la **fa**la ale**mão**.

b **E**le **mo**ra na Argen**ti**na.

c **É** um **vi**nho fran**cês**.

d Teresa tem namorado.

e Eles trabalham numa firma francesa.

22 Ouça as perguntas e repita.

a Como é o seu nome? ↘

b De onde você é? ↘

c Qual é o número do seu telefone? ↘

d Onde vocês trabalham? ↘

e Ele é dentista? ↗

f Você mora na Alemanha? ↗

g Marcos fala espanhol? ↗

> *Nas frases interrogativas, há dois tipos de entonação:*
> * *Interrogativas iniciadas com partículas (**onde, como, qual,** etc.) têm entonação descendente no final: **Como você está?** ↘*
> * *Interrogativas sem partículas têm entonação ascendente no final: **Você fala português?** ↗*

23 Ouça com atenção: frases afirmativas têm entonação descendente e frases interrogativas têm entonação ascendente. Coloque o sinal de pontuação adequado (.) ou (?).

a Ela fala alemão [.] ↘

b Ela fala alemão [?] ↗

c É um vinho francês ☐

d É um vinho francês ☐

e Karin mora na Alemanha ☐

f Karin mora na Alemanha ☐

g A Teresa é economista ☐

h A Teresa é economista ☐

> *A entonação no final das sentenças afirmativas é levemente descendente.* ↘

Eu já...

	👍	✋	👎	LC
• sei denominar alguns países e algumas cores.	☐	☐	☐	1–4
• sei fazer perguntas e dar informações sobre:				
país de origem;	☐	☐	☐	5, 6
local de moradia;	☐	☐	☐	7
procedência de pessoas (nacionalidade) e produtos;	☐	☐	☐	8–10
profissão e local de trabalho;	☐	☐	☐	11–15
endereço de e-mail;	☐	☐	☐	21
idade, posse.	☐	☐	☐	18–22
• sei contar de 21 a 102.	☐	☐	☐	16, 17, 22
• sei fazer suposições e reagir a suposições.	☐	☐	☐	5, 22
• sei preencher um formulário simples.	☐	☐	☐	AB 19

A Esta é a minha irmã.

1 Complete as frases.

a O pai do meu pai é meu ....
b O pai do meu primo é meu ....
c O marido da minha tia é meu ....
d A filha do meu filho é minha ....
e A filha da minha tia é minha ....

2 Complete o texto com as denominações de parentesco.
Em seguida, escreva os nomes na árvore genealógica.

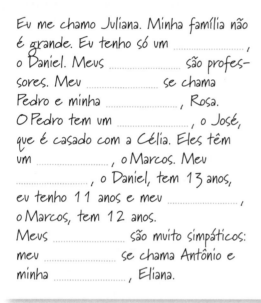

Eu me chamo Juliana. Minha família não
é grande. Eu tenho só um .... ,
o Daniel. Meus .... são professores. Meu .... se chama
Pedro e minha .... , Rosa.
O Pedro tem um .... , o José,
que é casado com a Célia. Eles têm
um .... , o Marcos. Meu
.... , o Daniel, tem 13 anos,
eu tenho 11 anos e meu .... ,
o Marcos, tem 12 anos.
Meus .... são muito simpáticos:
meu .... se chama Antônio e
minha .... , Eliana.

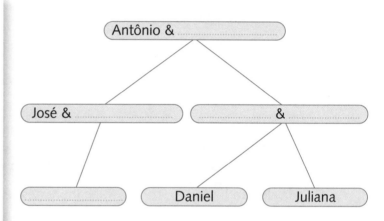

3 Leia o texto do exercício 2 e complete.

a O Daniel é _irmão_ da Juliana, ... da Rosa e do Pedro, ... do Antônio e da Eliana, ... do Marcos e .... do José e da Célia.

b Eliana é .... do Antônio, ... do José e Pedro, ... do Marcos, Daniel e Juliana.

c Célia é .... do José, ... do Daniel e Juliana e .... do Marcos.

4 Observe a foto da atividade A1 no Livro de Curso, pág. 24. Complete as perguntas que você faz a D. Dora e escreva as respostas.

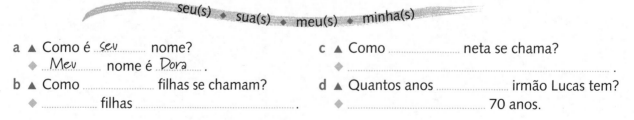

seu(s) ♦ sua(s) ♦ meu(s) ♦ minha(s)

a ▲ Como é _seu_ nome?
  ♦ _Meu_ nome é _Dora_ .

b ▲ Como .... filhas se chamam?
  ♦ .... filhas ....

c ▲ Como .... neta se chama?
  ♦ ....

d ▲ Quantos anos .... irmão Lucas tem?
  ♦ .... 70 anos.

5 Complete os diálogos com os pronomes possessivos. Quem fala?

seu(s) • sua(s) • meu(s) • minha(s) • dele(s)

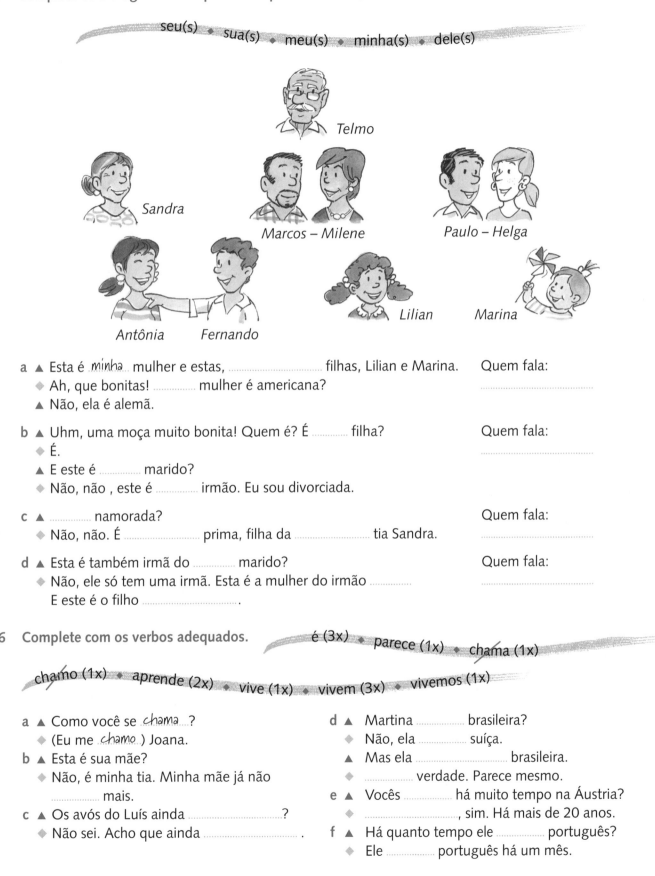

Telmo

Sandra

Marcos – Milene

Paulo – Helga

Antônia   Fernando

Lilian   Marina

a ▲ Esta é _minha_ mulher e estas, ... filhas, Lilian e Marina.   Quem fala:
  ◆ Ah, que bonitas! .... mulher é americana?   ....
  ▲ Não, ela é alemã.

b ▲ Uhm, uma moça muito bonita! Quem é? É .... filha?   Quem fala:
  ◆ É.   ....
  ▲ E este é .... marido?
  ◆ Não, não , este é .... irmão. Eu sou divorciada.

c ▲ .... namorada?   Quem fala:
  ◆ Não, não. É .... prima, filha da .... tia Sandra.   ....

d ▲ Esta é também irmã do .... marido?   Quem fala:
  ◆ Não, ele só tem uma irmã. Esta é a mulher do irmão ....
    E este é o filho ....

6 Complete com os verbos adequados.   é (3x) • parece (1x) • chama (1x)

chamo (1x) • aprende (2x) • vive (1x) • vivem (3x) • vivemos (1x)

a ▲ Como você se _chama_ ?
  ◆ (Eu me _chamo_) Joana.
b ▲ Esta é sua mãe?
  ◆ Não, é minha tia. Minha mãe já não
    .... mais.
c ▲ Os avós do Luís ainda ....?
  ◆ Não sei. Acho que ainda ....

d ▲ Martina .... brasileira?
  ◆ Não, ela .... suíça.
  ▲ Mas ela .... brasileira.
  ◆ .... verdade. Parece mesmo.
e ▲ Vocês .... há muito tempo na Áustria?
  ◆ .... , sim. Há mais de 20 anos.
f ▲ Há quanto tempo ele .... português?
  ◆ Ele .... português há um mês.

7 Escreva um texto apresentando sua família.

....

....

....

....

....

B E quem são estas pessoas simpáticas?

8 Complete.

ela/dela ◆ ele/dele ◆ eles/deles ◆ elas/delas ◆ seu/sua

a Esta é a Patrícia. _Ela_ tem 17 anos. A mãe _dela_ é a Sueli.

b A Sueli é casada. .... tem 40 anos. O marido .... é o Michael.

c O Renato é casado. .... tem 35 anos. A mulher .... também tem 35 anos.

d A Helena, a Sônia e o Luís são irmãos. .... moram no Brasil. A mãe .... é D. Ana.

e Estas são Lina e Laura. .... têm 10 e 9 anos. A mãe .... é a Helena.

f A Cleusa tem um namorado. O nome .... é Luís.

g O Celso e a Marta têm uma netinha linda. A netinha .... se chama Lia.

h Você tem irmãos? Onde _seus_ irmãos moram?

i Você tem celular? Qual é o número do .... celular?

j Você tem namorada? Como .... namorada se chama?

9 Complete.

meu/minha/meus/minhas ◆ seu/sua/seus/suas ◆ dele/dela/deles/delas

a ▲ É a sua casa, _D. Dora_?
  ◆ Não. É a casa da _minha_ filha.
  ▲ É muito bonita a casa _dela_.

b ▲ Este celular é ...., _Miguel_?
  ◆ Não, este é o celular do .... _irmão_.
  ▲ Puxa! É ultramoderno o celular ....

c ▲ _Elisa_, estes são os .... filhos?
  ◆ Não, são os filhos da .... _irmã_.
  ▲ Puxa, são grandes os filhos ....

d ▲ São as .... irmãs?
  ◆ Não, elas são as irmãs do .... _amigo_.
  ▲ São lindas as irmãs ....

10 Procure 12 palavras relacionadas à família e ao estado civil (7 horizontais e 5 verticais).

P	M	V	X	C	A	S	A	D	O
A	A	X	J	Y	Z	X	I	I	Q
I	R	M	Ã	O	S	Y	A	V	Ó
Q	I	Ã	J	Q	O	K	T	O	C
R	D	E	M	U	L	H	E	R	C
Y	O	R	N	E	T	O	S	C	T
Q	U	C	Z	T	E	Z	Q	I	G
F	H	G	L	V	I	Ú	V	A	M
X	U	D	T	Z	R	Z	R	D	C
S	F	I	L	H	O	S	F	O	H

horizontal

....
....
....
....
....
....

vertical

....
....
....
....
....

11 Responda.

Há ... ano(s) ◆ ... mês (meses) ... semana(s) ◆ muito / pouco tempo ◆ mais de ...

a Há quanto tempo você vive aqui?

  Vivo aqui há mais de dez anos.

b Há quanto tempo você conhece sua professora de português?

....

c Há quanto tempo você trabalha na sua firma?

....

d Há quanto tempo você e XY são amigos/-as?

....

e Há quanto tempo você conhece seu chefe?

....

f Há quanto tempo você e YY são vizinhos/-as?

....

12 Anita mostra a foto de um amigo à sua amiga Bete. Escreva um diálogo.

◆ *Quem são estes?* ....

▲ ....

◆ ....

▲ ....

◆ ....

▲ ....

◆ ....

▲ ....

C Como somos?

13 Relacione as perguntas à respostas.

a Você se interessa por teatro?
b Você é uma boa cantora?
c Seu chefe se interessa por esporte?
d Célia tem muitas flores em casa?
e Você é uma boa cozinheira?
f Você é um bom nadador?

1 Sim. Ele é um bom jogador de futebol.
2 Não, não. Não sou um bom nadador.
3 Mais ou menos. O meu marido é bom cozinheiro.
4 Sim, muito. E por dança moderna também.
5 Sim. Uma boa cantora de banheiro!
6 Sim, o hobby dela são rosas.

14 Qual é o antônimo (contrário) correspondente? Relacione.

a moreno/-a
b alto/-a
c gordo/-a
d dinâmico/-a
e alegre
f nervoso/-a
g bonito/-a
h sério/-a

☐ magro/-a
☐ feio/-a
☐ loiro/-a
☐ pacato/-a
☐ baixo/-a
☐ tranquilo/-a
☐ divertido/-a
☐ triste

15a Descreva a aparência dos três amigos de Ana.

1 Angélica

2 Maria

3 Josias

15b Ouça como Ana descreve seus amigos.
Descreva, em seguida, as características dessas pessoas.

1 Angélica

2 Maria

3 Josias

16 Descreva uma pessoa que você conhece. Mencione nome, idade, estado civil, aparência, características, interesses.

17a Ouça e repita.

a sam-ba / dan-ça / a-le-mã / ir-mã / a-m-a-nhã   [ã]

b tem-po / se-ten-ta / ven-de-mos   [ẽ]

c be-rim-bau / cin-co / pin-ga / sim   [ĩ]

d com-pra / A-fon-so / on-ze / bom / com   [õ]

e rum-ba / per-gun-ta / num / um   [ũ]

17b Leia as palavras de 17a e complete.

As vogais nasais são indicadas na escrita:
- pelo til (˜): *amanhã*, ..., ...;
- pelo *n* após uma vogal: *dança, onze*, ..., ...;
- pelo *m* após uma vogal: *berimbau*, ..., ...

O *m* em final de palavra indica sempre que as vogais anteriores *i, o, u* são nasalizadas: *sim, bom, num*, ..., ... Os lábios permanecem entreabertos.

18a As vogais das sílabas sublinhadas são nasalizadas. Ouça e repita.

A-na / cha-ma / no-me / di-nâ-mi-co / mo-ra-mos / Ju-li-a-na / se-ma-na / do-na / te-le-fo-ne / An-tô-ni-o / a-no

18b Leia as palavras de 18a e complete.

Em palavras como as do exercício 18a, as vogais das sílabas sublinhadas são nasalizadas. Isto ocorre quando
- a sílaba é tônica, por exemplo: *dinâ*mico, ..., ...
- e a sílaba seguinte começa com *m* (-*ma*, -*me*, -*mi*, -*mo*, -*mu*) ou *n* (-*na*, -*ne*, -*ni*, -*no*, -*nu*): *chama, moramos*, ..., ..., *telefone*, ..., ...

19 Assinale as vogais nasais. A seguir, ouça e repita.

a Antônio é uma pessoa dinâmica.

b Nós aprendemos dança há uns cinco meses.

c Juliana e sua irmã têm um berimbau bom.

d Dona Angélica tem uns cinquenta anos.

Eu já...

	👍	✊	👎	LC
• sei fazer perguntas e dar informações sobre:				
relação de parentesco;	☐	☐	☐	1–6
pessoas do círculo de conhecidos e amigos;	☐	☐	☐	7–11
estado civil;	☐	☐	☐	11
interesses e habilidades.	☐	☐	☐	12–14
• sei expressar admiração.	☐	☐	☐	1, 7
• sei descrever aparência e características de uma pessoa.	☐	☐	☐	15–22

Teste Leia e assinale a alternativa correta.

1. ▲ Oi, tudo bem?
   ◆ ....
   - ☐ a Como?
   - ☐ b Oi, tudo bem.
   - ☐ c Vai bem.

2. ▲ João, esta é a minha irmã.
   ◆ ....
   - ☐ a Vou bem.
   - ☐ b Obrigado.
   - ☐ c Muito prazer.

3. ▲ Bom dia, senhor Mário, como vai?
   ◆ ....
   - ☐ a Bem, obrigado.
   - ☐ b Desculpe.
   - ☐ c Muito prazer.

4. ▲ .... você é e .... você mora?
   ◆ Sou do Brasil e moro na Suíça.
   - ☐ a De que / em que
   - ☐ b De qual / em qual
   - ☐ c De onde / onde

5. ▲ .... é o número do seu telefone?
   ◆ É 38 34 89 22.
   - ☐ a Qual
   - ☐ b Quanto
   - ☐ c Que

6. ▲ .... cidade você mora?
   ◆ Moro no Rio de Janeiro.
   - ☐ a Em que
   - ☐ b De que
   - ☐ c Onde

7. ▲ ....
   ◆ Sou secretária.
   - ☐ a Onde é que você trabalha?
   - ☐ b Você trabalha aqui?
   - ☐ c O que é que você faz?

8. ▲ Você fala português?
   ◆ ....
   - ☐ a Fala muito bem.
   - ☐ b Falo um pouco.
   - ☐ c Falam um pouco.

9. ▲ Você sabe .... é Ronaldinho?
   ◆ É um jogador brasileiro de futebol.
   - ☐ a quem
   - ☐ b qual
   - ☐ c quanto

10. ▲ ....
    ◆ 35 anos.
    - ☐ a Quantos anos você tem?
    - ☐ b Que idade você é?
    - ☐ c Quanta idade você tem?

11. ▲ Olha aqui na foto. Este é .... chefe.
    ◆ Que simpático!
    - ☐ a minha
    - ☐ b meu
    - ☐ c meus

12. ▲ Como se chama a namorada do João?
    ◆ A namorada .... se chama Célia.
    - ☐ a dele
    - ☐ b dela
    - ☐ c seu

13. ▲ .... você conhece o Beto?
    ◆ Há mais de dez anos.
    - ☐ a Há quanto tempo
    - ☐ b Em que tempo
    - ☐ c Quando

14. ▲ Sua amiga parece muito pacata, não é?
    ◆ Não, pelo contrário. Ela é muito ....
    - ☐ a triste
    - ☐ b simpática
    - ☐ c dinâmica

15. ▲ Você .... por esportes?
    ◆ Sim, muito.
    - ☐ a me interessa
    - ☐ b interessa
    - ☐ c se interessa

Ficha de avaliação   Com esta ficha você pode avaliar seus conhecimentos.

Na coluna avaliação, anote o símbolo de acordo com o resultado:

++ (muito bem)   + (bem)   ! (ainda é difícil para mim)

Se necessário, você pode revisar o conteúdo das lições. Os números na última coluna indicam a lição.

Ouvir	Avaliação	Lição
Eu entendo formas simples de cumprimento e despedida.		1
Eu entendo quando alguém me pergunta pelo nome, número de telefone, local de residência.		1
Eu entendo quando alguém me pergunta pela nacionalidade, origem (país, cidade), profissão, local de trabalho, endereço de e-mail e idade.		2
Eu entendo palavras, expressões e perguntas simples relacionadas ao tema família e amigos.		3
Eu entendo descrições simples de uma pessoa.		3
Eu entendo perguntas e afirmações sobre interesses e habilidades.		3

Ler		
Eu entendo, por exemplo, em cartazes na recepção de um hotel, palavras e expressões simples.		1
Eu entendo textos simples, por exemplo, um e-mail com informações sobre profissão e firma onde uma pessoa trabalha.		2
Eu entendo formulários simples, por exemplo, um formulário de inscrição numa escola de línguas.		2
Eu entendo descrições simples de uma pessoa.		3

Falar		
Eu sei me apresentar e apresentar outras pessoas.		1
Eu sei cumprimentar e reagir a formas simples de cumprimento/despedida e a perguntas pelo meu bem-estar.		1
Eu sei perguntar e responder quando alguém me pergunta pelo nome, número de telefone e local de residência.		1
Eu sei perguntar pelo significado de palavras desconhecidas.		1
Eu sei perguntar e responder quando alguém me pergunta pela nacionalidade, origem (país, cidade), profissão, local de trabalho, endereço de e-mail, idade e posse.		2
Eu sei fazer suposições, por exemplo, sobre a procedência e a idade de uma pessoa.		2
Eu sei perguntar e responder a perguntas sobre familiares e amigos.		3
Eu sei perguntar e responder a perguntas sobre interesses e habilidades.		3
Eu sei fazer descrições simples da aparência e características de uma pessoa.		3

Escrever		
Eu sei anotar números de telefone e endereços de e-mail.		1
Eu sei preencher, por exemplo, um formulário de inscrição de uma escola de línguas com meus dados.		2
Eu sei escrever um texto simples de e-mail informando sobre mim ou sobre um amigo.		2
Eu sei escrever um texto simples me apresentando ou apresentando minha família ou meus amigos.		3

(A) Por que você quer aprender português?

1 Complete com as formas de *querer*. Responda às perguntas "d" e "e".

> quero ◆ quer ◆ queremos ◆ querem

a ▲ Por que Roberto e Maria querem .... ir para a França?
   ◆ Porque eles .... conhecer Paris.

b ▲ Que país vocês .... conhecer?
   ◆ Nós .... conhecer o México.

c ▲ Por que Gabriela vai para o Nordeste do Brasil nas férias?
   ◆ Porque ela .... visitar amigos brasileiros.

d ▲ O que você .... fazer no Brasil?
   ◆ Eu ....

e ▲ Que língua estrangeira você .... aprender?
   ◆ Eu ....

2 Risque a palavra que não pertence à sequência.

a ano / semestre / estágio / mês

b outubro / maio / junho / julho

c amigos / viagem / filhos / netos

d samba / capoeira / pessoas / lambada

e turismo / viagem / Foz do Iguaçu / plantas

3 Complete as frases e as palavras cruzadas.

a D. Gerda vai V .... o filho em Curitiba.

b Philipp vai .... seis meses numa univer-sidade brasileira.

c Muitos aprendem porque querem .... com os amigos em português.

d Philipp vai V .... pelo Brasil nas férias.

e Sabine vai fazer um .... de um semestre no Rio.

f Ela quer aprender português para fazer .... nas lojas.

g Dirk vai fazer um .... de capoeira em Salvador.

h Muitas pessoas aprendem uma língua estrangeira porque querem fazer .... no país.

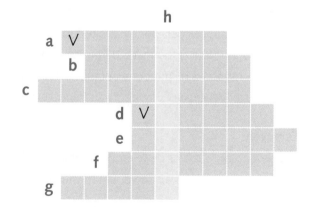

4 Forme frases.

a em Curitiba / elas / seis meses / ficar/ vão

....

b nas / viajar / férias / nós / pelo / vamos / Brasil

....

c de três meses / fazer / curso / de português / um / vou

....

d Sara / do namorado dela / família / conhecer / a / vai

....

5 Em que mês...? Responda.

a Em que mês é o Dia do Trabalho? *(O Dia do Trabalho é) em maio*
b Em que mês você tem férias?
c Em que mês você faz aniversário?
d Em que mês é o Carnaval?
e Em que mês é o Dia das Mães na Alemanha?
f Quais são os meses sem "r"?

6 Complete com as preposições adequadas.

com (2x) • em (2x) • pelo (1x) • pela (1x) • no (1x) • na(s) (2x) • de (1x) • para (4x)

a Vou estudar .... Amazonas, porque quero me especializar .... plantas tropicais.
b Vou .... o Brasil .... julho.
c Quero aprender português .... conversar .... as pessoas, fazer compras .... lojas.
d Quero viajar .... Brasil. Quero ir .... o Rio, Salvador, Manaus e Foz do Iguaçu.
e Minha irmã é casada .... um português.
f Dirk é .... Viena. Ele vai estudar .... Universidade de Belém.
g Chris se interessa .... música popular brasileira e vai ao Recife .... participar de um workshop de música do Nordeste.

7a Por que estas pessoas aprendem português? Numere as fotos de acordo com a sequência dos diálogos.

a ☐   b ☐   c ☐   d ☐

7b Ouça mais uma vez e complete.

Nome	Por quê?	Para onde vai?	Quando (em que mês)?
a	vai fazer um estágio num hospital		
b			
c	vai participar de um workshop de música	Belo Horizonte	
d			

8 Escreva a Francisco, seu amigo virtual, sobre os seguintes pontos: por que você aprende português, o que você quer fazer, para onde e quando vai viajar.

Para: Francisco_chico@oi.com.br
Assunto:

Boa noite, Chico:

Tudo bem?

(B) Philipp vai às compras.

9 Onde se compra o quê? Relacione. Há várias possibilidades.

a cartões-postais
b berimbau
c protetor solar
d selos
e água mineral
f pão
g aspirina
h mapa da cidade

1 supermercado
2 farmácia
3 correio
4 banca de jornais
5 padaria
6 loja de artesanato

10 Complete com os verbos e os nomes dos locais onde se compram os produtos.

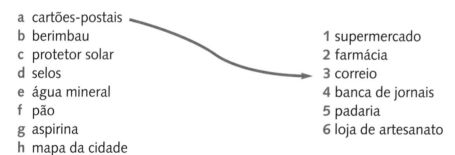

quero ◆ quer ◆ queremos ◆ querem ◆ posso ◆ pode ◆ podemos ◆ podem

a ▲ *Queremos* comprar água.
   ◆ Água vocês *podem* comprar na padaria ou no *supermercado* .
b ▲ Peter .... comprar protetor solar e cartões-postais.
   ◆ Protetor solar ele .... comprar na farmácia e cartões-postais, na ....
c ▲ Volker e Karin .... comprar um guia da cidade.
   ◆ Guia da cidade eles .... comprar na ....
d ▲ Nós .... comprar pão.
   ◆ Pão vocês .... comprar na .... ou no ....
e ▲ Nós .... comprar selos.
   ◆ Selos vocês .... comprar no ....

28

11a Onde as três pessoas fazem compras? Ouça e relacione.

Diálogo 1 ☐ na banca de jornais
Diálogo 2 ☐ no correio
Diálogo 3 ☐ na farmácia

11b Quanto custa? Ouça mais uma vez e assinale os preços mencionados.

a selos para 3 cartões-postais ☐ R$ 5,70 ☐ R$ 7,60
b aspirina ☐ R$ 3,90 ☐ R$ 8,90
c água mineral e 2 cartões-postais ☐ R$ 3,00 ☐ R$ 4,00

12 Coloque as partes do diálogo na sequência correta.

☐ ▲ Está bem, eu vou levar um.
◆ Muito bem, o guia e o mapa são R$ 40,00.

☐ ▲ Eu queria um mapa da cidade também.
◆ Temos só este tipo.

☐ ▲ Quanto é?
◆ R$ 32,00. É tudo?

1 ▲ Eu queria um guia do Brasil. Vocês têm?
◆ Temos, sim.

☐ ▲ Quanto custa?
◆ R$ 8,00.

13 Escreva as perguntas.

a ....? Não, ainda não. Queria ver o berimbau.
b ....? Jornais chilenos? Não. Não tenho. Só jornais brasileiros.
c ....? Este CD? R$ 35,00.
d ....? Obrigado, é tudo.
e ....? A camiseta vermelha custa R$ 25,00 e a azul, R$ 30,00.

14 Forme frases.

a sandálias / ver / queria / Eu / havaianas
Eu queria ver sandálias havaianas.

b estrangeiros / têm / Vocês / jornais
..................?

c colar / Quanto / o / custa
..................?

d olhar / eu / queria / só / Obrigada,
....

e bem. / Está / brincos / de / os / ametista / Vou / levar
....

15 Complete. Preste atenção nas terminações.

a ▲ Como é o curso de capoeira?
◆ É muito .... (bom)

b ▲ Vai levar as sandálias havaianas?
◆ São ...., mas são muito .... (bonito/pequeno)

c ▲ Olha, Paula, por que você não leva estes brincos?
◆ Estes brincos? Hum… Não sei… . São ...., mas são muito .... (bonito/caro)

d ▲ São ...., mas são de .... qualidade. (caro/bom)

C 1001 sugestões de compras

16 Escreva as datas históricas em cifras. A que acontecimentos essas datas se referem?

a mil oitocentos e vinte e dois

b mil quatrocentos e noventa e dois

c mil quinhentos e cinquenta e quatro

d mil setecentos e oitenta e nove

e mil novecentos e oitenta e nove

f mil e quinhentos

17 Complete com as terminações adequadas. Escreva as cifras entre os parênteses.

a Quatrocent............ e trinta e d............ hotéis (............)

b Duzent............ e vinte e u............ mapas da América do Sul (............)

c Cento e d............ pousadas para estudantes (............)

d No guia: mil e u............ sugestões de compras (............)

e Quinhent............ e cinquenta e d............ guias de viagens (............)

f D............ mil seiscent............ e setenta e u............ cidades (............)

g O colar de ametista custa d............ mil novecentos e sessenta e u............ reais. (R$ ....)

18 Felipe se informa sobre os preços dos voos numa agência de viagem.
Ouça e assinale os preços mencionados.

a Rio de Janeiro – Manaus ☐ R$ 569,00 ☐ R$ 509,00

b Salvador – Rio de Janeiro ☐ R$ 259,00 ☐ R$ 219,00

c Rio de Janeiro – Foz do Iguaçu ☐ R$ 385,00 ☐ R$ 295,00

19 Preste atenção nos ditongos nasais: a primeira vogal é nasalizada.
Ouça e repita.

a não / são / vão / alemão / irmão / cartão   [ãw]
b mora*m* / fala*m* / interessa*m*   [ãw]
c mãe / alemães   [ãj]
d lições   [õjs]
e *em* / be*m* / Belé*m* / també*m* / viag*em*   [ẽj]

> Em final de palavra, as vogais nasais são indicadas na escrita:
> • em sílaba tônica (sílaba acentuada), pelo til (˜): *não*, ..., ...;
> • em sílaba átona (sílaba não acentuada), pelo *m*: *moram*, ..., ...
>
> Em final de palavra, *–em* é sempre pronunciado como ditongo nasal (ẽj):
> *Belém* [belẽj], ..., ...
> O lábios permanecem entreabertos.

20 O fonema nasal representado na escrita por *nh* é pronunciado como o *ñ* do espanhol em *niño* (ni[ɲ]o). A vogal anteposta (a que vem antes) também é nasalizada. Ouça e repita.

Alema*nh*a   [ɲ] [alemãɲa]

espa*nh*ol / se*nh*or / se*nh*ora / graci*nh*a / vizi*nh*o / co*nh*eço / qui*nh*entos / ju*nh*o

21 Assinale os sons nasais. A seguir, ouça e confira.

a Eles vão comprar cartões-postais.

b Elas comem dois pães.

c Os pais do João fazem uma viagem pelo Brasil.

d Eles trabalham numa firma alemã.

e Os senhores são alemães?

f Não conheço os vizinhos espanhóis.

Eu já...

	👍	✋	👎	LC
• sei fazer perguntas e dar informações sobre:				
motivos;	☐	☐	☐	1–4
planos e intenções.	☐	☐	☐	1–4
• sei denominar os meses.	☐	☐	☐	5–6
• sei dizer para onde vou.	☐	☐	☐	7–9
• sei denominar alguns produtos e lojas.	☐	☐	☐	10
• sei perguntar onde posso comprar determinados produtos.	☐	☐	☐	11
• consigo manter um diálogo de compras simples numa loja.	☐	☐	☐	12–15
• sei perguntar pelo preço.	☐	☐	☐	12–15
• sei fazer uma avaliação simples de um produto.	☐	☐	☐	14
• sei contar de 100 a acima de 1000.	☐	☐	☐	16–21

Que delícia!

(A) Então, o que é que vamos servir?

1 O que pertence à sequência? Escolha as palavras adequadas e complete.

abacaxi • tomate • pacote • ~~vinho~~ • garrafa • cerveja • papaia • pepino

a cachaça _vinho_ ....   c lata ....

b laranja ....   d alface ....

2 Complete com os verbos adequados.

~~vai~~ • vou • precisa (2x) • precisamos (2x) • precisam • tem (2x) • têm

a O que você _vai_ .... fazer para os convidados? Olha, eu .... fazer um churrasco.

b O que vocês .... para fazer um churrasco? Nós .... de carne e legumes.

c O que a Paula .... que comprar? Ela .... que comprar a carne.

d O que a Paula .... comprar ainda? Ela ainda .... comprar as bebidas.

e Vocês não .... que fazer uma lista de compras? Claro, pois (nós) .... de muitas coisas.

3 Observe as ilustrações e complete a lista de compras.

a _1_ pacote de _leite_ ....

b .... vidro de ....

c .... caixa de ....

d .... latas de ....

e .... quilo de ....

f .... gramas de ....

g .... garrafas de ....

h .... dúzia de ....

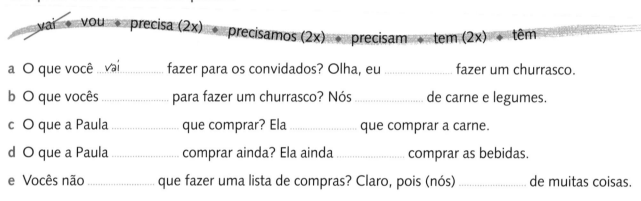

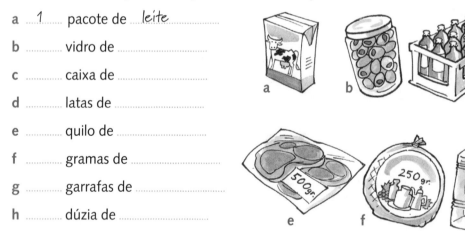

4 Ouça o diálogo entre o vendedor e a cliente. Assinale.

O que ela compra?

☐ melão   ☐ mangas

☐ abacaxi   ☐ bananas

☐ laranjas   ☐ papaias

Quanto é tudo?

☐ R$ 12,00   ☐ R$ 11,50

melão
R$ 5,00 cada

laranjas
R$ 3,00 dúzia

manga
3 por R$ 3,00

abacaxi pérola
R$ 4,00 cada

bananas
R$ 1,50 dúzia

papaia
3 por R$ 3,00

5 Você e um colega vão preparar juntos uma salada de frutas ou um prato de legumes para uma festa do curso. Quais ingredientes vocês já têm e quais precisam comprar? Escreva um diálogo.

....

....

....

B No restaurante Bela Vista

6 Complete as frases "a" e "b". Resolva as palavras cruzadas.

a Estou com muita sede: Por favor, uma .... mineral sem gás.
b Da laranja pode-se fazer .... de laranja.
c Bebida feita com cachaça, gelo, limão e açúcar.
d Bebida típica alemã.
e Bebida feita com limão, água e açúcar.
f Pode ser branco ou tinto.
g Bebida feita com suco de fruta e cachaça.
h Bebida típica brasileira, sem álcool.

7 *de* ou *com?* Complete.

a sopa *de* legumes
b mousse .... manga
c peixe grelhado .... arroz
d frango .... legumes
e salada .... frutas

f água .... gás
g bife .... batatas fritas
h suco .... laranja .... açúcar
i filé .... carne .... batatas e brócolis

8 Complete com as formas verbais adequadas.

a ▲ O que você *bebe* .... quando janta em casa? (beber)
   ◆ .... água e vinho. (beber)

b ▲ Você .... comer no restaurante italiano ou no brasileiro? (preferir)
   ◆ Eu .... comida brasileira. (preferir)

c ▲ .... mais uma cerveja para você também? (pedir)
   ◆ Sim, sim. Pode .... mais uma cerveja para mim. (pedir)

d ▲ Este restaurante .... um peixe grelhado muito bom! (servir)
   ◆ Ah, é? Então .... o peixe grelhado. (querer)

e ▲ O que você .... de sobremesa? Frutas ou doces? (comer)
   ◆ Eu .... frutas. (preferir)

f ▲ O que você ....? Vinho ou cerveja? (querer)
   ◆ Eu .... cerveja. (preferir)

Que delícia!

9 Complete as frases. Preste atenção nas terminações.

salgado/-a ◆ com sede ◆ bem passado/-a ◆ com fome ◆ gostoso/-a ◆ frio/-a ◆ doce

a ▲ Você não quer comer nada?
   ◆ Não, só vou beber um chope. Eu não estou _com fome_.

b ▲ Como está o seu bife?
   ◆ Hum, está ...., exatamente como eu gosto.

c ▲ Garçom, pode trazer outro café?
   ◆ Não está bom?
   ▲ Não, está .... Eu gosto de café bem quente.
   ◆ Não tem problema. Já sirvo outro.

d ▲ Como está a mousse de manga?
   ◆ Hii… está muito .... Acho que não vou comer mais.

e ▲ Você não quer comer nada?
   ◆ Não, só vou beber água. Eu só estou ....

f ▲ O seu camarão parece que está ....
   ◆ É verdade. Está muito .... Humm … Está uma delícia!

g ▲ Não posso comer o peixe. Está muito............. O que você acha? Peço outro?
   ◆ Claro.

10 *Ser* ou *estar*? Complete.

a ▲ Quem .... a Paula e a Regina?
   ◆ A Paula e a Regina .... irmãs da minha amiga.

b ▲ Como .... a sua caipirinha, Celina?
   ◆ .... uma delícia.

c ▲ Como .... o seu camarão?
   ◆ .... um pouco salgado.

d ▲ Quantos vocês .... na sua classe?
   ◆ (Nós) .... 11 alunos.

e ▲ Vamos almoçar? .... com fome. Você não, Míriam?
   ◆ Não muito, mas .... com sede.

f ▲ Olha, Uwe, a caipirinha deste bar .... famosa. (Ela) .... muito boa.
   ◆ Então, vou pedir uma caipirinha.

11 Qual é o nome destes objetos? Escreva também os artigos.

a _o prato_
b
c
d
e
f
g
h

34

12 Ouça o diálogo e assinale o pedido feito ao garçom.

1 salada mista
1 filé acebolado
1 peixe frito
1 cerveja
1 guaraná

a ☐

1 salada mista
1 filé acebolado
1 camarão frito
1 cerveja
1 guaraná

b ☐

13 O que você diz ao garçom? Escreva as frases.

a falta | Garçom, | desculpe, | colher | uma

Garçom, desculpe, falta uma colher. .

b guardanapo | falta | desculpe, | um | Garçom,

....

c mais | trazer | Podia | cerveja, | por | uma | favor

.... ?

d favor | conta, | Dois | e | por | cafezinhos | a

....

e Por | pão | trazer | favor, | mais | podia

.... ?

f senhor | que | recomenda | O | o

.... ?

g quero (queria) | Eu | salada | uma | palmitos | de | e | prato | do | o | dia

....

C Você gosta de comida italiana?

14 Preencha as lacunas com os dias da semana adequados.

a Dois dias depois do _sábado_ : → Segunda-feira
b O dia entre o .... e a .... : → Domingo
c O dia antes da .... : → Terça-feira
d O dia depois da .... : → Sexta-feira
e Dois dias antes da .... : → Quarta-feira

15 Complete as frases.

suco • cerveja • vinho • alho • alface

a Nos bares brasileiros bebe-se muito _suco_ .... de frutas.

b Pode-se fazer o camarão com .... e óleo.

c A salada mista se faz com ...., pepino e tomate.

d No Brasil não se bebe muito ....

e No Brasil bebe-se muita .... também.

16 Complete com as formas de *ir* + infinitivo.

a ▲ O que você _vai_ _fazer_ hoje para o jantar? (fazer)
 ◆ _Vou_ _fazer_ peixe assado. (fazer)

b ▲ Onde (nós) _____? (almoçar)
 ◆ Vamos ao Vitellini. A comida de lá é gostosa.

c ▲ O que vocês _____? (pedir)
 ◆ Eu _____ uma sopa de legumes. (pedir)
 ■ Eu não _____ nada. (querer)

d ▲ O que vocês _____? (beber)
 ◆ (eu) _____ só um café com leite. (beber)
 ■ Acho que (eu) _____ um chope. (tomar)

e ▲ (nós) _____ a conta? (pedir)
 ◆ Já? (nós) _____ mais um pouco. Está tão bom! (ficar)

f ▲ O que vocês _____ no domingo? (fazer)
 ◆ (nós) _____ uma moqueca para uns amigos. (fazer)

17 Faça frases. Escolha a alternativa que se aplica a você.
Preste atenção na preposição *de* e suas contrações.

☺ *Eu gosto **de** leite. / Eu gosto **do** Chico César e **da** Marisa Monte.*
☺☺ *Eu gosto muito **de** leite.*
☹ *Eu não gosto muito **de** leite.*
☹☹ *Eu não gosto **de** leite.*

a cerveja _____

b caipirinha _____

c a minha cidade _____

d comida chinesa _____

e o cantor Chico César _____

f a firma onde eu trabalho _____

g os meus colegas de trabalho _____

18 Qual é o seu restaurante predileto? Por quê?

_____

_____

_____

_____

_____

19a Preste atenção nas sílabas sublinhadas. Que fonemas você ouve: [g] como no inglês *good* ou [ʒ] como no francês *génie*? Assinale. Ouça mais uma vez e repita.

	[g]	[ʒ]			[g]	[ʒ]			[g]	[ʒ]
a	man<u>g</u>a	☐	☐	d	<u>g</u>ostoso	☐	☐	g	Re<u>g</u>ina	☐	☐
b	laran<u>j</u>a	☐	☐	e	<u>J</u>uliana	☐	☐	h	ho<u>j</u>e	☐	☐
c	le<u>g</u>umes	☐	☐	f	<u>g</u>elo	☐	☐	i	<u>J</u>osé	☐	☐

19b Complete as afirmações.

- Antes de **a**, **o** e **u**, a letra **g** é pronunciada [g] como no inglês *good*, por exemplo: *manga,* ....
- Antes de **e** e **i**, a letra **g** é pronunciada [ʒ] como no francês *génie*, por exemplo: *gelo,* ....
- A letra **j** é sempre pronunciada [ʒ] como no francês *génie*, por exemplo: *hoje,* ...., ...

19c Preste atenção nas sílabas sublinhadas. Que fonema você ouve? Assinale.

	[g]	[ʒ]			[g]	[ʒ]
a	portu<u>gu</u>esa	☐	☐	c	<u>Gu</u>ido	☐	☐
b	<u>Gu</u>ilherme	☐	☐	d	Mi<u>gu</u>el	☐	☐

Gu em *gue*, *gui* é pronunciado [g] como no inglês *good*. O **u** não é pronunciado.

20a Como são pronunciados os seguintes nomes? Assinale. Depois ouça e confira.

	[g]	[ʒ]			[g]	[ʒ]			[g]	[ʒ]
a	<u>G</u>eraldo	☐	☐	c	Dio<u>g</u>o	☐	☐	e	Sér<u>g</u>io	☐	☐
b	<u>Gu</u>idinha	☐	☐	d	Fi<u>gu</u>eira	☐	☐	f	<u>Gu</u>erra	☐	☐

20b Ouça e complete com *g*, *gu* ou *j*.

a Ho........e a dona........ilda quer duas man........as e cinco laran........as.

b A pin........a do Bar........il........edes é........ostosa.

c A cerve........a e o suco de maracu........á são da ade........a portu........esa.

21 Preste atenção nas sílabas sublinhadas. Que fonemas você ouve: [g] como no inglês *good* ou [gw] como em *guano*? Assinale. Ouça mais uma vez e repita.

	[g]	[gw]			[g]	[gw]
a	á<u>gu</u>a	☐	☐	d	<u>Gu</u>ido	☐	☐
b	Mi<u>gu</u>el	☐	☐	e	<u>gu</u>ardanapo	☐	☐
c	<u>gu</u>araná	☐	☐	f	lín<u>gu</u>a	☐	☐

Gu em *gua* é pronunciado [gw] como em *guano*. O **u** é pronunciado.

Eu já...

	👍	🤚	👎	LC
• sei denominar alguns mantimentos.	☐	☐	☐	1
• sei fazer uma lista de compras.	☐	☐	☐	2–6
• sei dizer que estou com fome ou com sede.	☐	☐	☐	8
• sei fazer pedidos no restaurante.	☐	☐	☐	7–8, 11–12
• sei fazer uma avaliação de comida e bebida.	☐	☐	☐	8
• sei denominar peças do talher e outros utensílios de mesa.	☐	☐	☐	9
• sei pedir coisas que faltam à mesa (no restaurante).	☐	☐	☐	10
• consigo entender um anúncio simples de restaurante.	☐	☐	☐	13–15
• sei dizer os dias da semana.	☐	☐	☐	14
• sei falar sobre gostos e preferências.	☐	☐	☐	16, 17
• sei recomendar um restaurante e justificar.	☐	☐	☐	18

De férias!

A Serra, praia ou cidade?

1 O que combina? Relacione os termos.

a	vista	1	com serviço de bufê
b	preços	2	condicionado
c	restaurante	3	com crianças
d	bom	4	para o mar
e	ar	5	de altitude
f	televisão	6	incluído
g	famílias	7	gosto
h	café da manhã	8	especiais para grupos
i	a 1000 m	9	a cabo

2 Complete as frases e preencha as palavras cruzadas.

a Tempo do ano em que não trabalhamos:
   férias.

b Apartamento para duas pessoas: apartamento
   .

c O nosso hotel fica à beira-mar, na famosa
   de Copacabana.

d No quarto do hotel as bebidas ficam no
   .

e Prefere para o mar ou para as
   montanhas?

f O hotel fica a 1200 m de altitude, na .

g O café da é servido no jardim.

h Nas férias onde as pessoas podem se hospedar:
   .

i Lugar onde se pode nadar: .

j O hotel fica no histórico da cidade.

k A Pousada Aurora oferece especiais para grupos.

l Quanto custa o para uma pessoa?

3 Passe para o plural.

a o hotel moderno: os hotéis modernos

b o ônibus confortável:

c o apartamento simples:

d o jardim agradável:

e o preço especial:

f um mês: dois

4 Complete as frases com a palavra adequada.

a ver/vista
- ◆ Olha, daqui podemos ...*ver*............... o mar.
- ▲ Puxa, como a .... é bonita!

b servir/serviço
O restaurante tem .... de bufê.
No Shambala eles .... o café da manhã no jardim.

c famílias/familiar
Um hotel na praia é ideal para .... com crianças pequenas.
Ela é a chefe de uma empresa ....

d tranquilo/tranquilidade
- ◆ Qual hotel oferece ....?
- ▲ Bem, acho o Shambala muito ....

e gostar/gosto
- ◆ Por que você .... da Estalagem Shambala?
- ▲ Por que eu .... da Estalagem? Bem, porque ela oferece bom ....
  e tranquilidade.

5 Leia o prospecto do hotel e assinale as afirmações corretas.

a O hotel oferece conforto e bom gosto. ☐

b O hotel tem apartamentos para umas
40 pessoas. ☐

c No Hotel-Fazenda Aliança você tem
tranquilidade. ☐

d Pode-se fazer caminhadas. ☐

e Os hóspedes podem tomar o café da
manhã no jardim. ☐

f O hotel fica a 1000 km de São Paulo. ☐

O Hotel-Fazenda Aliança (século XIX) fica numa fazenda de café. Fica na montanha a 1000 metros de altitude, em Serra Negra no estado de São Paulo. Oferece aos hóspedes bom gosto, conforto e tranquilidade.

- ❀ Oito apartamentos duplos e duas suítes para até 4 pessoas
- ❀ Café da manhã no jardim e restaurante de comida brasileira
- ❀ Ideal para caminhadas
- ❀ Piscina, sauna, hidromassagem
- ❀ Não há televisão nos quartos.

6 Do que você gosta e do que não gosta no Hotel-Fazenda Aliança?
Visite o site de um hotel-fazenda na internet, por exemplo: www.fazendaaguasclaras.com.br.
Você gostaria de passar suas férias lá? Por quê? Justifique sua resposta.

Pode consultar também a página da internet: www.fazendaambiental.com.br

De férias!

B Vocês têm um apartamento livre?

7 O que diz o recepcionista do hotel? Ouça e assinale.

a O apartamento fica no
- ☐ sexto andar.
- ☐ sétimo andar.

b O café da manhã é servido no
- ☐ terceiro andar.
- ☐ segundo andar.

c A piscina e a sauna são no
- ☐ último andar.
- ☐ primeiro andar.

8 O sr. Fábio liga para o hotel e reserva um apartamento. Ouça e complete o formulário.

Pousada Vila Rica – Para reservas, fale conosco.	
nome completo:	Fábio Silveira
apartamento simples	☐
apartamento duplo standard	☐
luxo	☐
telefone	
e-mail	fasilva@com.br
data de chegada:	data de saída:

9 Quais são os emails de Marina Ribeiro? Quais do funcionário do hotel?
Qual é a sequência correta? Numere.

De: maribe@com.br
Para: vilangélica@com.br
Data: Sábado, janeiro 05, 2008 10:50
Assunto: preços

Prezad.................................,
O preço da diária para duas pessoas é R$ 165,00 em chalé standard e R$ 187,00 em chalé superior (vista para o mar). Para três pessoas o preço é R$ 242,00.
Inclui o café da manhã.
Aceitamos cartão de crédito.
Atenciosamente,
....

a ☐

De: vilangélica@com.br
Para: maribe@com.br
Data: Sábado, janeiro 05, 2008 15:50
Assunto: preços

Prezad.................................,
O anúncio da sua Pousada na Internet é muito interessante. Poderia me mandar os preços de um apartamento para duas pessoas?
Há também apartamentos para três pessoas?
E qual é o preço?
Os senhores oferecem também um preço especial para um grupo de seis pessoas, uma semana?
Muito obrigada,
....

Prezad.................................,
Temos chalés para duas e para três pessoas.
Para informar os preços precisamos saber o mês (ou os meses).
Atenciosamente,
....

b ☐

c ☐

Prezad.................................,
Quero fazer a reserva para abril.
Atenciosamente,
....

d ☐

40

10 Complete com as formas do verbo *poder*.

posso • podemos • pode • podem

a ▲ O hotel fica na Praia Grande?
   ◆ Sim. Do hotel *pode* -se ver o mar.

b ▲ (Nós) .... deixar as malas aqui no hotel?
   ◆ Claro. .... deixar no quarto 23. O rapaz vai levar para os senhores.

c ▲ .... pagar com moeda estrangeira?
   ◆ Infelizmente não. Mas a senhora .... trocar no Banco do Estado.

d ▲ O senhor tem um quarto com vista para o mar?
   ◆ Infelizmente os quartos com vista para o mar estão todos ocupados. Mas os senhores
   .... ter um quarto com vista para o jardim. O jardim é muito bonito.

e ▲ .... pagar com cartão de crédito?
   ◆ O senhor não tem dinheiro? Infelizmente hoje a máquina não está funcionando.

11 O que combina? Relacione.

a chave   1 banheiro
b chuveiro   2 mar
c cobertor   3 documento
d pão   4 número
e praia   5 frigobar
f cerveja   6 cama
g passaporte   7 banco
h dinheiro   8 café da manhã

12 Complete com os antônimos.

claro • caro • simples • barulhento • quente • ocupado

a ▲ O senhor quer um apartamento *simples* ?
   ◆ Não, um apartamento duplo.

b ▲ Os quartos com vista para o mar estão
   todos .... ?
   ◆ Não todos. Três ainda estão livres.

c ▲ O quarto é ...., não é?
   ◆ Não, não. Infelizmente é muito escuro.

d ▲ E a rua é .... ?
   ◆ Não, não. É muito calma.

e ▲ Problema com o quarto? Está muito
   .... ?
   ◆ Pelo contrário. O quarto está muito frio.
   O ar condicionado não está funcionando
   bem.

f ▲ Este hotel tem 4 estrelas. É muito
   ...., não é?
   ◆ O apartamento duplo custa R$ 190,00.
   Eu não acho ...., acho barato.

13 Escreva um e-mail a um hotel pedindo uma informação (por exemplo, sobre preços).

....

....

....

De férias!

C Estou aproveitando bastante.

14 Complete com as formas de *estar, ser* ou *ficar.*

a ▲ Como você ...está............?
  ◆ Eu? Ah, ... muito bem!

b ▲ O apartamento .... grande?
  ◆ Não, ... muito pequeno e escuro.

c ▲ Em qual hotel José ....?
  ◆ Ele .... no Grande Hotel Pedra Branca.

d ▲ Onde .... a Pousada Aurora?
  ◆ .... na rua Paulo Afonso.

e ▲ Onde Malu e André ....?
  ◆ Eles .... no bar.

f ▲ Como .... o tempo aí na montanha?
  ◆ .... muito agradável. Não .... quente.

g ▲ Onde .... a piscina?
  ◆ A piscina .... no 10° andar.

15 Faça frases que exprimem ações que acontecem simultaneamente ao momento da fala.

a para o apartamento 33 / levar / o rapaz / uma toalha
  O rapaz está levando uma toalha para o apartamento 33.

b aprender / nós / português

c na fazenda / fazer uma caminhada / os hóspedes

d escrever / ela / um e-mail / para a mãe

e assistir a / eles /o jogo Brasil-Argentina na televisão

16 O que as pessoas estão fazendo neste momento? Ouça os diálogos 1–4 e relacione-os às ilustrações.

a ☐

b ☐

c ☐

d ☐

17 Você está viajando de férias e escreve um cartão-postal a um amigo ou amiga.

Oi, ...!
Tudo bem? Estou ....

18a Preste atenção nas sílabas sublinhadas. Que fonemas você ouve: [k] como no inglês _card_ ou [s] como no francês _France_? Assinale. Ouça mais uma vez e repita.

	[k]	[s]			[k]	[s]			[k]	[s]
a	casa	☐	☐	d	piscina	☐	☐	g	custa	☐	☐
b	criança	☐	☐	e	histórico	☐	☐	h	açúcar	☐	☐
c	centro	☐	☐	f	serviço	☐	☐	i	recepção	☐	☐

18b Complete as afirmações.

> • Antes de **a**, **o** e **u**, a letra **c** é pronunciada [k] como no inglês _card_, por exemplo:
> _casa_, ...
> • Antes de **e** e **i**, a letra **c** é pronunciada [s] como no francês France, por exemplo:
> _centro_, ..., ...
> • A letra **ç** (cê-cedilha) é sempre pronunciada [s] como no francês Fran**c**e, por exemplo:
> _serviço_, ..., ...

18c Preste atenção nas sílabas sublinhadas. Que fonema você ouve? Assinale.

	[k]	[s]			[k]	[s]
a	quem	☐	☐	e	pequeno	☐	☐
b	arquitetura	☐	☐	f	queijo	☐	☐
c	porque	☐	☐	g	Joaquim	☐	☐
d	quinze	☐	☐				

> **Qu** em **que**, **qui** é pronunciado [k] como em _card_.
> O **u** não é pronunciado.

19 Ouça e complete com _c_, _qu_ ou _ç_.

a	.........unha	e	.........e	i	.........ecília
b	a.........i	f	condi.........ionado	j	.........ente
c	pre.........o	g	lembran.........as	k	tradi.........ão
d	ofere.........er	h	chi.........e	l	mar.........o

20 Preste atenção nas sílabas sublinhadas. Que fonemas você ouve: [k] como no inglês _card_ ou [kw] como no inglês _quality_? Assinale. Ouça mais uma vez e repita.

	[k]	[kw]			[k]	[kw]
a	quanto	☐	☐	e	quarto	☐	☐
b	quando	☐	☐	f	qual	☐	☐
c	queremos	☐	☐	g	quente	☐	☐
d	arquitetura	☐	☐				

> **Qu** em **qua** é sempre pronunciado [kw] como no inglês _quality_. O **u** é pronunciado.

Eu já...

	👍	✋	👎	LC
• consigo entender informações relevantes num prospecto de hotel.	☐	☐	☐	1, 3
• sei justificar por que prefiro um determinado hotel.	☐	☐	☐	4–6
• sei perguntar por um quarto de hotel e pelo preço.	☐	☐	☐	7
• sei expressar meus desejos num hotel.	☐	☐	☐	8–11
• sei reclamar quando algo não funciona.	☐	☐	☐	9–11
• sei escrever um cartão-postal.	☐	☐	☐	12
• sei fazer comentários simples sobre o tempo.	☐	☐	☐	12, 13
• sei explicar onde me encontro.	☐	☐	☐	12, 13
• sei descrever ações que ocorrem simultaneamente ao momento da fala.	☐	☐	☐	12–15

Revisão II

Teste — Leia e assinale a alternativa correta.

1. ▲ .... Philipp .... português?
   ◆ Na Escola de Línguas Macunaíma.
   - ☐ a Por que / aprende
   - ☐ b Onde / aprende
   - ☐ c Como / aprender

2. ▲ Por que você .... aprender Português?
   ◆ Porque .... conversar com meus amigos brasileiros.
   - ☐ a quero / quer
   - ☐ b quer / quero
   - ☐ c quer / queremos

3. ▲ Em que mês é o seu aniversário?
   ◆ ....
   - ☐ a No maio.
   - ☐ b Em maio.
   - ☐ c De maio.

4. ▲ O que você .... fazer nas próximas férias?
   ◆ .... visitar amigos no Brasil.
   - ☐ a vai / Vão
   - ☐ b vou / Vai
   - ☐ c vai / Vou

5. ▲ Quanto .... os dois ....?
   ◆ R$ 2,50.
   - ☐ a custa / cartão-postal
   - ☐ b custam / cartões-postais
   - ☐ c custam / cartões-postales

6. ▲ Bom dia, já foi atendido?
   ◆ ....
   - ☐ a Está bem.
   - ☐ b Obrigado. Só queria ver.
   - ☐ c Obrigado. É tudo.

7. ▲ Por que você não leva as sandálias?
   ◆ São ...., mas são muito ....
   - ☐ a bonita / cara
   - ☐ b bonitos / caros
   - ☐ c bonitas / caras

8. ▲ Paulo, como .... a sua mousse de manga? Parece muito gostosa!
   ◆ Uhm! ....
   - ☐ a é / Uma delícia!
   - ☐ b está / Mais uma mousse.
   - ☐ c está / Uma delícia!

9. ▲ Gosto muito .... bife grelhado .... Restaurante Raízes da Terra.
   ◆ Eu, não. Não gosto .... carne.
   - ☐ a de / de / de
   - ☐ b do / do / de
   - ☐ c do / da / da

10. ▲ ....
    ◆ Um momentinho. Já vou trazer.
    - ☐ a Nada mais, obrigado.
    - ☐ b Garçom, pode trazer mais pão, por favor?
    - ☐ c O que o senhor recomenda?

11. ▲ Onde .... comer comida italiana?
    ◆ .... comer no Restaurante Vitellini.
    - ☐ a se podem / Podem-se
    - ☐ b tem / Pode-se
    - ☐ c se pode / Pode-se

12. ▲ Vamos comer alguma coisa? Você não .... com fome?
    ◆ Com fome não, mas .... com muita sede.
    - ☐ a é / sou
    - ☐ b está / estou
    - ☐ c tem / tenho

13. ▲ O que é que nós .... comprar para o churrasco?
    ◆ Bem, ... que comprar: carne, farinha de mandioca e sal grosso.
    - ☐ a precisamos / temos
    - ☐ b temos / precisamos
    - ☐ c temos de / vamos

14. ▲ Por favor, onde .... a Pousada Monte Alegre?
    ◆ .... na rua 13 de Maio.
    - ☐ a está / É
    - ☐ b é / É
    - ☐ c está / Está

15. ▲ Quanto .... a diária do apartamento simples?
    ◆ R$ 110,00. Quanto tempo o senhor ....?
    - ☐ a é / vai morar
    - ☐ b há / vai estar
    - ☐ c é / vai ficar

16. ▲ O que ela .... neste momento?
    ◆ Ela .... um cartão-postal.
    - ☐ a está escrevendo / está fazenda
    - ☐ b está fazenda / está escrevenda
    - ☐ c está fazendo / está escrevendo

17. ▲ Na cidade só o Hotel Mare é bom e confortável?
    ◆ Não, minha senhora. Aqui todos os ....
    - ☐ a hotéis são bom e confortável.
    - ☐ b hotéis são bons e confortáveis.
    - ☐ c hotels são bons e confortávels.

18. ▲ Tem um apartamento .... para o mar?
    ◆ Sim. Do apartamento 321 se pode .... o mar.
    - ☐ a uma vista / ver
    - ☐ b com vista / ver
    - ☐ c com visão / ver

Ficha de avaliação   Esta ficha vai ajudar você a avaliar seus conhecimentos.

Na coluna avaliação, anote o símbolo de acordo com o resultado:

++ (muito bem)   + (bem)   ! (ainda é difícil para mim)

Se necessário, você pode revisar o conteúdo das lições. Os números na última coluna indicam a lição.

	Ava-liação	Lição
Ouvir		
Eu entendo perguntas e respostas simples sobre os motivos para se aprender português.		4
Eu entendo informações sobre preço e local onde se pode comprar um determinado produto.		4
Eu entendo números, por exemplo, mencionados num anúncio de rádio.		4
Eu entendo nomes de mantimentos e indicações de quantidades e embalagens.		5
Eu entendo perguntas e respostas ao fazer o pedido num restaurante.		5
Num hotel eu entendo perguntas e respostas ao me informar sobre preços e expressar meus desejos.		6
Ler		
Eu entendo nomes de bebidas e de comidas em cardápios de restaurantes e bares.		5
Eu entendo anúncios simples de restaurantes.		5
Eu entendo prospectos simples de hotéis.		6
Eu entendo e-mails simples de hotéis contendo informações sobre preços e condições para fazer reserva.		6
Falar		
Eu sei dizer por que aprendo português.		4
Eu consigo manter um diálogo de compras simples numa loja.		4
Eu sei dizer o que vou fazer ou desejo fazer num futuro próximo.		4
Eu sei fazer o pedido num restaurante e pedir para trazer coisas que faltam na mesa.		5
Eu sei dizer de quais comidas eu gosto e de quais eu não gosto.		5
Eu sei fazer uma avaliação simples de um prato ou de um restaurante.		5
Eu sei falar sobre as qualidades do meu restaurante preferido.		5
Eu sei justificar minhas preferências na escolha de um hotel.		6
Eu sei pedir informações importantes num hotel.		6
Eu sei fazer reclamações e expor meus desejos num hotel.		6
Eu sei descrever ações que ocorrem simultaneamente ao momento da fala.		6
Escrever		
Eu sei escrever um e-mail sobre os seguintes pontos: por que eu aprendo português, para onde quero viajar e o que planejo fazer lá.		4
Eu sei escrever uma lista de compras com indicações de quantidade.		5
Eu sei escrever um pequeno texto sobre o meu restaurante preferido.		5
Eu sei escrever um e-mail a um hotel pedindo informações relevantes.		6
Eu sei escrever um cartão-postal simples.		6

O meu dia a dia

A Geralmente almoço em casa.

1 O que não combina com o verbo? Elimine uma palavra por sequência.

a tomar café / ~~cedo~~ / chá
b ler o jantar / o jornal / o e-mail
c tomar o café da manhã / o almoço / um banho
d acordar cedo / o jornal / tarde

e dormir tarde / o almoço / muito
f jantar sozinho / o trabalho / cedo
g almoçar com a família / o hotel / sozinho
h fazer tarde / ginástica / café

2 O dia a dia da Vera? Escreva frases adequadas às ilustrações. A seguir, numere as atividades numa sequência lógica.

.... □   .... □   Vera trabalha
no escritório. □   .... □

.... □   Vera acorda
cedo. 1   .... □   .... □   .... □

3 Ouça o que o Rafael vai fazer amanhã. Complete com os verbos.

a De manhã, eu ...
acordo muito cedo.
.... para a faculdade.

b De tarde, eu ...
.... numa biblioteca.
.... ginástica na academia.

c De noite, eu ...
.... aulas de inglês.
.... a um bar com meus amigos.

4 Que horas são? Escreva as horas.

a 04:00 São quatro (horas)..............

b 07:20 ....

c 05:30 ....

d 02:10 ....

e 01:15 ....

f 06:40 ....

g 09:25 ....

h 08:45 ....

5　Em que dia da semana você está mais ocupado/-a? Descreva o que você faz habitualmente nesse dia, de manhã, à tarde e à noite.

....

....

....

....

B　Um dia na vida do Daniel

6　O que combina?

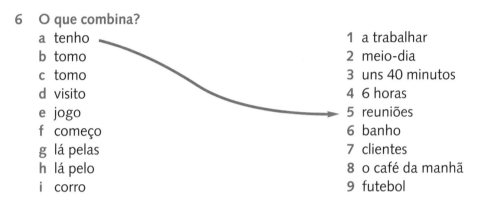

a	tenho	1	a trabalhar
b	tomo	2	meio-dia
c	tomo	3	uns 40 minutos
d	visito	4	6 horas
e	jogo	5	reuniões
f	começo	6	banho
g	lá pelas	7	clientes
h	lá pelo	8	o café da manhã
i	corro	9	futebol

7　**Complete com as formas verbais.**

▲ Fernando, como é seu dia a dia?

◆ É bem... bem normal. Nada de especial.

▲ E você podia contar pra gente um pouco como é a sua rotina?

◆ Claro. Olha, _tenho_ (ter) um posto de gasolina. Meu dia .... (começar) cedo. .... (acordar) lá pelas 6:00 horas e .... (correr) com os vizinhos mais ou menos uns 40 minutos. Aí .... (voltar) para casa, ... (tomar) banho e em seguida .... (tomar) o café da manhã com minha mulher. Depois do café da manhã .... (ir) para o posto. .... (começar) a trabalhar às 7:30. De manhã .... (ler) os e-mails, ... (fazer) telefonemas. Às vezes .... (fazer) uma reunião com os empregados. Antes do almoço, geralmente .... (ir) ao banco. Lá pela 1:00, minha mulher e eu .... (almoçar) num restaurante. Em geral .... (trabalhar) até as 6:00 horas. Aí .... (ter) aula de ioga com minha vizinha. Lá pelas 7:30 .... (jantar) com minha família. Antes de dormir .... (ler) um pouco o jornal ou .... (ver) televisão. Geralmente .... (ir) dormir à meia-noite.

8 Complete com *antes de/do, depois de/do.*

a Ele vai ao posto ....*depois do*.... café da manhã.

b Fernando vai ao banco .... almoço.

c .... trabalho ele tem aula de ioga com a vizinha dele.

d Ele toma banho .... correr com os vizinhos.

e Ele lê o jornal ou vê televisão .... ir dormir.

9 Quando você faz estas atividades?

à / às / ao ◆ lá pela / pelas / pelo

a jantar   *Janto lá pelas 8.* ....

b acordar   *Acordo* ... .

c voltar para casa   ....

d tomar o café da manhã ....

e começar a trabalhar   ....

f ir dormir   ....

10 Procure oito verbos na 1ª pessoa do singular na vertical, horizontal e diagonal.

S	S	D	U	R	M	O
F	A	Ç	O	M	M	N
I	I	I	R	M	N	T
S	O	U	L	G	T	E
H	D	H	Z	E	R	N
V	E	J	O	Q	I	H
Z	V	O	U	T	B	O

11 Complete com as formas verbais.

a ▲ Em geral eu ....*durmo*.... umas 6 horas.
      E você?
      Quantas horas você ....? (dormir)
   ◆ Eu? Geralmente .... umas 7 horas.

b ▲ E a que horas você .... dormir? (ir)
   ◆ Eu .... dormir lá pelas 11:30. (ir)

c ▲ O que você .... de noite? (fazer)
   ◆ Eu .... ginástica, na segunda e na quarta.

d ▲ João, que jornal você ....? (ler)
   ◆ Ah, eu não .... jornal. (ler) Não gosto. Mas eu .... televisão. (ver)

e ▲ Com quem você .... depois do trabalho? (sair)
   ◆ Eu .... com meus amigos.

12a O cotidiano do Chico. Que perguntas você faz ao Chico? Adivinhe a profissão dele.

a que horas • o que • quando

a *A que horas você se levanta?* Eu me levanto muito cedo. Às 3 horas.
b ___ Começo a trabalhar às 3:30.
c ___ Volto para casa às 11:30.
d ___ De tarde não trabalho. Geralmente durmo um pouco.
e ___ Antes de dormir vejo televisão.
f ___ Vou dormir lá pelas 8 da noite.
g ___ O que faço? Bem, sou ___ Trabalho

12b Ouça o diálogo e confira as perguntas.

12c Quando o Chico faz estas atividades?

de manhã / de tarde / de noite • à / às/ pela / pelas ... da manhã / da tarde / da noite

a Quando Chico se levanta? *Às 3 horas da manhã (da noite).*
b Quando ele começa a trabalhar? ___
c Quando ele volta para casa? ___
d Quando ele dorme um pouco? ___
e Quando ele vê televisão? ___
f Quando ele vai dormir? ___
g Quando ele trabalha? ___

13 Escreva sobre seu dia a dia.

Normalmente eu ___

C Você coopera em casa?

14 Negue as frases.

a Eu arrumo e limpo a casa. *Eu não arrumo nem limpo a casa.*
b Eu passo roupa. ___
c Eu tomo chá e café. ___
d Faço as compras, porque tenho tempo. ___
e Vera cozinha nos fins de semana. ___
f Eu jogo futebol e faço ginástica. ___

15 Leia a resposta da Marta à sua amiga virtual, uma estudante suíça.

> Querida Sabine,
>
> Você queria saber como é o meu dia a dia? Pois então, é assim. Todos os dias eu me levanto cedo e vou trabalhar. Aqui no Brasil, muitos estudantes trabalham e estudam, você sabe, não é? Trabalho numa agência de turismo, todos os dias, mas só de manhã. De tarde, vou para a faculdade. Tenho aulas todos os dias. Nunca almoço em casa durante a semana. Mas o jantar é sempre com a família. De noite, geralmente, fico em casa. Tenho que estudar para a faculdade. Às vezes, estudo sozinha, às vezes, com colegas. Muitas vezes, quando tenho provas, vou dormir bem tarde. No sábado de manhã durmo bastante. No sábado de tarde, geralmente, faço compras no supermercado para a minha mãe e arrumo um pouco a casa. De noite, às vezes, meu namorado e eu vamos ao cinema ou a uma festa. No domingo, muitas vezes, saímos com amigos. Geralmente vamos a um bar. Como você vê, não tenho muito tempo, mas adoro a minha vida de estudante. E a sua semana, como é? Estou curiosa.
>
> Um abraço,
> Marta

16 Com que frequência a Marta faz estas atividades?

a Vai para a faculdade: _todos os dias_
b Trabalha numa agência de turismo: ....
c Vai dormir bem tarde: ....
d Almoça em casa durante a semana: ....
e Fica em casa de noite: ....
f Sai com amigos: ....
g Faz compras, arruma a casa: ....
h Janta em casa: ....
i Estuda com colegas: ....

17 Faça frases. Escolha as expressões de frequência que se aplicam a seus hábitos.

sempre ◆ todos os dias ◆ geralmente ◆ muitas vezes ◆ às vezes ◆ nunca
uma vez / duas vezes por semana / por mês / por ano

a ir / cabeleireiro / ao   _Vou ao cabeleireiro uma vez por mês._
b meus amigos / visitar   ....
c fazer compras / supermercado / no   ....
d futebol / jogar   ....
e aula de português/ ir / à   ....
f ao / ir / Brasil   ....
g cozinhar / domingo / no   ....
h televisão / ver / de manhã   ....

18 Escreva um e-mail a um amigo estrangeiro contando sobre a vida de estudante em seu país.

....
....
....

19 As sílabas sublinhadas são tônicas (acentuadas) ou átonas (não acentuadas)? Ouça e depois complete as afirmações a-c.

n<u>o</u>me, <u>qu</u>inze, <u>qua</u>se, <u>ce</u>do, so<u>zi</u>nho, es<u>tu</u>do

> **a** As sílabas sublinhadas são ....
> **b** A letra **e** em sílabas átonas em final de palavra é pronunciada [i], por exemplo: *nome*, ...
> **c** A letra **o** em sílabas átonas em final de palavra é pronunciada [u], por exemplo: *cedo*, ...

20a Que fonemas você ouve: [d] como no inglês *democracy* ou [dʒi] como no inglês *jeans*? Assinale.

	[d]	[dʒi]			[d]	[dʒi]			[d]	[dʒi]
a pa<u>da</u>ria	☐	☐	d	po<u>dem</u>	☐	☐	g	po<u>de</u>	☐	☐
b <u>D</u>orotéia	☐	☐	e	<u>di</u>a	☐	☐	h	tar<u>de</u>	☐	☐
c <u>du</u>as	☐	☐	f	<u>di</u>sco	☐	☐	i	on<u>de</u>	☐	☐

20b Complete as afirmações.

> • Antes de **a**, **o** e **u** a letra **d** é pronunciada [d] como no inglês *democracy*, por exemplo: *cedo*, ...
> • A sílaba **di** é pronunciada [dʒi] como no inglês *jeans*, por exemplo: *dia*, ..., ...
> • De acordo com a regra 19b, em sílaba átona em final de palavra, **e** é pronunciado [i]. Portanto, **de** em *pode*, *tarde*, *onde* é pronunciado como di [dʒi]. Outros exemplos: ...., ...
> • Se **de** ocorre em sílaba tônica ou é nasalizado, **d** é pronunciado [d] como no inglês *democracy*, por exemplo: *podemos*, ...

21a Que fonemas você ouve? [t] como em *táxi* ou [tʃi] como em *tchau*? Assinale.

	[t]	[tʃi]			[t]	[tʃi]			[t]	[tʃi]
a visi<u>ta</u>	☐	☐	d	repe<u>tem</u>	☐	☐	g	noi<u>te</u>	☐	☐
b disco<u>te</u>ca	☐	☐	e	giná<u>sti</u>ca	☐	☐	h	geralmen<u>te</u>	☐	☐
c <u>to</u>mar	☐	☐	f	coopera<u>ti</u>vo	☐	☐	i	tu<u>do</u>	☐	☐

21b Complete as afirmações.

> • Antes de **a**, **o** e **u** a letra **t** é pronunciada [t] como em *táxi*, por exemplo: *visita*, ...
> • A sílaba **ti** é pronunciada [tʃi] como em *tchau*, por exemplo: *ginástica*, ...
> • De acordo com a regra 19b, em sílaba átona em final de palavra, **e** é pronunciado [i]. Portanto, **te** em *noite*, *geralmente* é pronunciado como ti [tʃi]. Outros exemplos: ....
> • Se **te** ocorre em sílaba tônica ou é nasalizado, **t** é pronunciado [t] como em *táxi*, por exemplo: *discoteca*, ...

22 Ouça e repita.
> a Didi, de onde seu amigo é?
> b Vocês podem sair de casa mais cedo? → Podemos, sim.
> c Ivete e Tatiana vão ao restaurante hoje de noite.
> d Telma e Cristina têm vinte e sete anos.

> Em algumas regiões do Brasil **di** e **ti** são pronunciados [di] e [ti].

Eu já...

	👍	🤚	👎	LC
• sei falar sobre rotinas do dia a dia.	☐	☐	☐	1–3, 7, 13–14
• sei dizer as horas.	☐	☐	☐	4–6
• sei indicar circunstâncias de tempo (horas, períodos do dia)	☐	☐	☐	2–3, 9–12
• sei falar sobre atividades domésticas cotidianas.	☐	☐	☐	16
• sei indicar frequência.	☐	☐	☐	15–18
• sei fazer uma entrevista simples.	☐	☐	☐	19

Cidades

A Minha cidade

1 Risque a palavra que não pertence à sequência.

a igreja / mercado / correio / ~~moderno~~
b praça / interessante / rua / rio
c simpática / bar / restaurante / padaria

d farmácia / estação rodoviária / tranquilo / escola
e banca de jornais / antiga / livraria / escola
f limpo / museu / hotel / correio

2 Complete com os artigos e com o plural.

	o ou a?		plural		o ou a?		plural
a	o	rio	os rios	g		praça	
b		bar		h		rua	
c		cinema		i		igreja	
d		estação		j		clima	
e		hotel		k		restaurante	
f		parque		l		museu	

3 Escreva cinco frases sobre sua cidade usando as palavras do exercício 2 e os seguintes adjetivos.

grande • interessante • pequeno/-a • bom/boa • moderno/-a
bonito/-a • antigo/-a • limpo/-a • bem cuidado/-a

As praças são bem cuidadas.

a
b
c
d
e

4 A Diva descreve a cidade de Florianópolis. Leia e complete as terminações dos adjetivos.

Oi, todos de casa,
Estou agora na capital de Santa Catarina, Florianópolis, que os
habitantes daqui chamam de Floripa. É uma cidade que tem
praias lindas! É dinâmic............... e modern............... com
muitos teatros e cinemas. Mas tem também casas e igrejas
antig............... que lembram a época colonial. Tem um mercado
muito interessant..............., antig............... e famos...............
Vale a pena conhecer Florianópolis. Ah, aqui há um bar que se
chama Ponto Chic. É o ponto de encontro de muitas pessoas
que vão lá para conversar sobre política, futebol, música, etc.
Parece que o bar é muito animad...............
Vou lá hoje com amigos. Depois conto como é.
Beijos,
Diva

Vanda M. Martins
Rua das Corticeiras, 1225
Aurora — SC
8 8 0 6 3 — 160
BRASIL

5 Complete.

por causa de / do(s) / da(s) ◆ porque

a Não respondi antes *por causa do* encontro de ceramistas.
b Gosto da cidade *porque* não tem poluição.
c A cidade é boa .... clima agradável.
d Não gosto da cidade .... não tem discotecas.
e A cidade é interessante .... casas antigas.
f O parque é bonito .... tem um rio de águas limpas.
g O bairro é animado .... bares e restaurantes.
h O clima é agradável .... a cidade fica nas montanhas.

6 Descreva a cidade onde você mora. Do que você gosta? Do que sente falta?

....

....

....

....

....

B Onde é o correio?

7 Onde a Mônica está? Relacione.

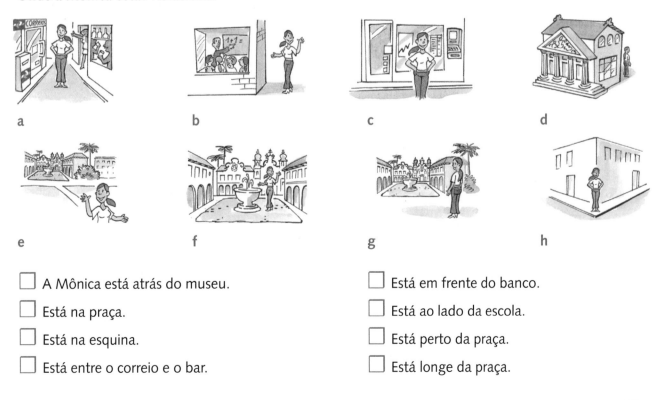

a   b   c   d

e   f   g   h

☐ A Mônica está atrás do museu.
☐ Está na praça.
☐ Está na esquina.
☐ Está entre o correio e o bar.

☐ Está em frente do banco.
☐ Está ao lado da escola.
☐ Está perto da praça.
☐ Está longe da praça.

8 Observe a planta da cidade e complete os diálogos.

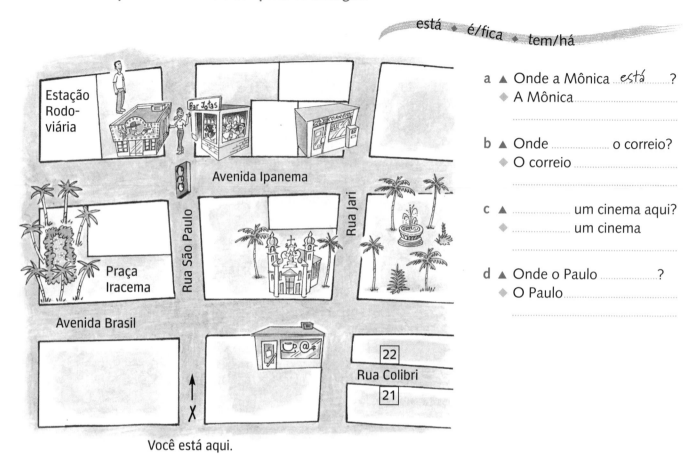

está • é/fica • tem/há

a ▲ Onde a Mônica _está_ ?
  ◆ A Mônica ....

b ▲ Onde .... o correio?
  ◆ O correio ....

c ▲ .... um cinema aqui?
  ◆ .... um cinema

d ▲ Onde o Paulo ....?
  ◆ O Paulo ....

Você está aqui.

9 Leia os diálogos e localize os lugares mencionados no mapa do exercício 8. Escreva os nomes no mapa.

a ▲ Por favor, sabe onde fica o museu?
  ◆ O museu fica na avenida Ipanema, atrás da igreja.

b ▲ Onde é o hospital, por favor?
  ◆ Olha, é na esquina da avenida Ipanema com a rua São Paulo, em frente do cinema.

c ▲ Tem uma farmácia aqui perto?
  ◆ Tem uma na rua Jari, ao lado do correio.

d ▲ Há um banco aqui perto?
  ◆ Há sim. É ali, fica entre o Bar Jotas e o correio.

10 Relacione.

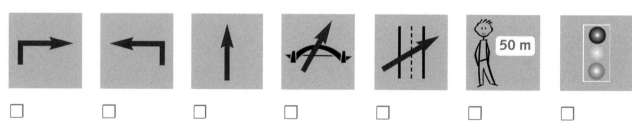

a Seguir/ir em frente.
b Andar uns 50 metros.

c Virar à direita.
d Atravessar a rua.

e Atravessar a ponte / o rio.
f Virar à esquerda.

g O sinal

11 Observe o mapa do exercício 8 e complete as descrições dos caminhos com as formas verbais adequadas.

a Qual é o caminho para a Estação Rodoviária? É longe?
Não, é logo ali. Você .... sempre em frente nesta rua. No segundo cruzamento
.... à esquerda. A estação fica à direita em frente da praça. (seguir; virar)

b Para o cinema, por favor?
É muito perto. Você .... esta rua sempre em frente. Fica logo ali, na esquina.
Você .... menos de 10 minutos. (seguir; andar)

c Sabe onde tem uma farmácia por aqui?
Uma farmácia? Olha, você .... em frente nessa rua. No sinal .... à direita e ....
em frente. Na rua Jari você .... à esquerda. É ao lado do correio. (ir; virar 2x; seguir)

d Para ir ao Internet-Café, por favor? ....
....

12 O José Carlos manda um e-mail para o Pedro com a descrição do caminho para sua casa.
Qual é o número da casa? (Veja o mapa do exercício 8.)

Oi, Pedro:
Aqui está o caminho para a minha casa. A pé é um pouco longe, mas é fácil. Você vai chegar na
Estação Rodoviária, não é? Pois bem, você pega a avenida Ipanema e segue sempre em frente.
No segundo cruzamento você vira à direita, na rua Jari e segue em frente. Na segunda rua você vira
à esquerda. É a Colibri, a rua da minha casa. Você anda uns 50 metros. A casa fica à esquerda.
Um abraço,
Zé Carlos

Resposta: *O José Carlos mora na rua Colibri, no número* ....

13 Ouça e desenhe no mapa os caminhos descritos pelo homem e pela mulher.
Eles estão na Pousada Tropical. Quem tem razão? Ele ou ela?

14 Descreva os caminhos.

a da sua casa ao ponto de ônibus ou à estação do metrô

....

b da sua casa ao supermercado ou à padaria ou ao cinema

....

C De metrô, de ônibus ou a pé?

15 Quem faz o quê? Leia o texto e complete.

> O nome da pessoa que trabalha na Natura Cosméticos é Pedro.
> A enfermeira se chama Tina e trabalha no Hospital Samaritano.
> A executiva visita os hotéis de carro.
> José é analista de sistemas no Banco do Brasil.
> A pessoa que trabalha no hospital vai para o trabalho a pé.
> De casa para o trabalho a engenheira precisa de 5 minutos de bicicleta.
> O vendedor que trabalha na firma de cosméticos vai de trem para o trabalho.
> De casa para o banco são só 15 minutos de metrô.
> Marisa é administradora dos Hotéis Paraíso.
> Cecília é engenheira da Deca Eletrônica.

	nome	profissão	onde trabalha	como vai para o trabalho
a	Pedro	vendedor		
b				
c				
d				
e				

16 Que meios de transporte você usa para se locomover no lugar onde mora? Por quê?

Quando eu vou ao centro geralmente ...

17 A Linha Turismo de Curitiba.
A cidade de Curitiba oferece uma visita guiada a seus visitantes. Ouça e assinale as atrações mencionadas no roteiro.

PARQUE TANGUÁ
ÓPERA DE ARAME
PARQUE SÃO LOURENÇO
UNIVERSIDADE LIVRE DO MEIO AMBIENTE
PARQUE TINGÜI
BOSQUE DO PAPA
PORTAL ITALIANO
SANTA FELICIDADE
BOSQUE ALEMÃO
MUSEU OSCAR NIEMEYER
CENTRO CÍVICO
TORRE PANORÂMICA
PASSEIO PÚBLICO
PARQUE BARIGÜI
SETOR HISTÓRICO
TEATRO GUAÍRA UNIVERSIDADE
PRAÇA TIRADENTES
RODOFERROVIÁRIA MERCADO MUNICIPAL
RUA DAS FLORES
CENTRO DE CONVENÇÕES
RUA 24 HORAS
JARDIM BOTÂNICO
MUSEU FERROVIÁRIO
TEATRO PAIOL

18a Ouça e preste atenção nas sílabas sublinhadas.
Depois assinale a alternativa correta.

alta, alguma, desculpar, Brasil, anual, hotel, vale, século,
escola, livraria

A letra **l** em final de sílaba ou palavra é pronunciada
☐ como [l]
☐ como [u]

18b Ouça mais uma vez e repita. Procure mais exemplos para a pronúncia do *l* como [u].

19a Ouça e assinale as palavras mencionadas.
A seguir, leia a afirmação e assinale a alternativa correta.

a trabalho ☐   c família ☐   e filha ☐   g velhinho ☐
b Carlos ☐   d escolher ☐   f malha ☐   h olha ☐

Lh é pronunciado como
☐ **L**a Paz   ☐ **ll**ama (espanhol) [ʎama]

19b Ouça mais uma vez e repita. Procure mais exemplos para a pronúncia do *lh* [ʎ].

20a Ouça e preste atenção nas sílabas sublinhadas.
A seguir, assinale a alternativa correta.

achar, chá, chamar, churrasco, chope

Ch é pronunciado como:
☐ **sh**opping (inglês)   ☐ **tch**au

20b Ouça mais uma vez e repita. Procure mais exemplos.

21 Ouça e repita.
a O Hotel Municipal fica perto do parque florestal.
b A filha se chama Telma e o filho Aldo.
c Acho que vou tomar um chope e comer um churrasco.
d É um lugar calmo e agradável, ideal para não pensar em trabalho.
e Olha, ela toma chá com leite.

Eu já...   👍 ✋ 👎 LC

• sei denominar locais e prédios.   ☐ ☐ ☐ 1–5
• sei descrever cidades e prédios.
• sei dizer o que há e o que não há numa cidade. ☐ ☐ ☐ 2, 6
• sei explicar por que eu gosto de viver num determinado lugar. ☐ ☐ ☐ 3, 6, 7
• sei perguntar e dizer onde algo se encontra.   ☐ ☐ ☐ 8–12
• sei perguntar por um caminho e fazer descrições simples de caminhos. ☐ ☐ ☐ 13–16
• sei denominar meios de transporte.   ☐ ☐ ☐ 17

Vamos ao cinema?

A O que você faz nas suas horas de lazer?

1 Faça as combinações possíveis entre os verbos e os substantivos.

jogar ◆ tocar ◆ cozinhar ◆ fazer ◆ dançar

ginástica · piano · violão · futebol · um passeio · esporte · flauta

cartas · samba · voleibol · bateria · forró · tênis · comida árabe

a jogar: futebol, voleibol

b

c

d

e

2 Escreva frases com as expressões de frequência.

sempre que posso ◆ de vez em quando ◆ raramente

uma vez por ... ◆ (pelo menos) duas vezes por ... ◆ nunca ◆ ...

a fazer um passeio Faço um passeio a pé duas vezes por semana.

b nadar

c esquiar

d cantar

e dançar

f ir ao cinema

3 O que estas pessoas fazem em suas horas de lazer. Complete as frases.

a O Sr. Luís cuida das
           orquídeas.

b O Pedro

c A Marta

d Os amigos

e O pai

f A Betina

g A Márcia e o marido

h O João

4 Complete com as formas de *jogar, brincar* ou *tocar*.

a ◆ O que ele faz?
  ▲ Então você não sabe? Ele *joga* futebol no clube do Corinthians.

b ◆ Nas suas horas de lazer, Felipe .... piano.
  ▲ E ele .... bem?
  ◆ Mais ou menos.

c ◆ Você .... cartas?
  ▲ Não. Mas .... dominó.

d ◆ O que você faz quando você está em casa?
  ▲ Quando estou em casa costumo .... com as crianças.

e ◆ Que instrumento você ....?
  ▲ Eu .... piano, mas não tenho muito talento.

f ◆ O que vamos fazer hoje?
  ▲ Meu amigo .... jazz num bar. Vamos lá?

g ◆ Onde está o Lucas?
  ▲ Eu acho que ele está .... com Zeca no jardim.

5 Ouça as entrevistas. As afirmações são verdadeiras (V) ou falsas (F). Assinale.

Entrevista 1

	V	F
a Edson corre de manhã e de tarde.	☐	☐
b De manhã Edson corre das 5 às 6.	☐	☐
c De tarde Edson corre das 5:30 às 7.	☐	☐
d Edson faz academia duas vezes por semana, de noite.	☐	☐
e Edson não quer correr na São Silvestre de São Paulo.	☐	☐

Entrevista 2

	V	F
f O hobby da Heloísa é cantar no coral da faculdade.	☐	☐
g Eles só cantam música popular brasileira.	☐	☐
h Heloísa canta no coral às terças e aos domingos.	☐	☐
i Heloísa adora cantar.	☐	☐

6 Ouça mais uma vez e corrija as afirmações falsas do exercício 5.

7 Escreva sobre o que você faz em suas horas de lazer.

8 Complete com a formas de *poder* ou *saber.*

a ▲ Puxa, você ...sabe... jogar tênis muito bem.
 ◆ Muito obrigada.

b ▲ Meu amigo .... tocar piano bem.
 ◆ Verdade? Precisamos então ir a um concerto dele.

c ▲ Você .... chegar mais cedo amanhã?
 ◆ Tudo bem. Amanhã eu .... vir meia hora mais cedo.

d ▲ Aqui vocês não .... jogar futebol. Vão jogar na praia.
 ◆ Puxa, que chato!

e ▲ O senhor Luís tem 80 anos, mas .... usar o computador!
 ◆ É mesmo?

f ▲ Você .... andar de bicicleta?
 ◆ Claro que .... Todo mundo ....!

g ▲ Amanhã não .... ir mais ao cinema com você.
 ◆ Que pena.

h ▲ Por favor, o senhor .... onde é o Centro Cultural?
 ◆ Segue em frente, na primeira rua à direita.

B Combinando um programa.

53–54

9 Complete o telefonema com as frases ao lado. A seguir, ouça e confira.

1 ◆ ....
 ▲ Bom dia. A Dora está por favor?
 ◆ ....
 ▲ ....
 ◆ Ela só volta à noite. Você quer deixar recado?
 ▲ ....
 ◆ ....

2 ◆ Alô?
 ▲ ....
 ◆ Juliana?
 ▲ ....?
 ◆ Olhe, aqui não tem nenhuma Juliana.
 ▲ ....
 ◆ Não tem importância.

◆ Bom dia. Ela não está. Quem quer falar com ela?
◆ Alô?
▲ Não. Obrigado. Eu telefono mais tarde. Até logo.
▲ É o Paulo.
◆ Até logo.

▲ Ah, desculpe. Foi engano.
▲ Sim, com Juliana Mendes. Ela está?
▲ Bom dia. Por favor, queria falar com a Juliana.

10 Complete com as preposições e os pronomes.

com ... ◆ comigo ◆ conosco ◆ para ... ◆ para mim

a ◆ Marcos e eu vamos nadar na piscina amanhã. Você não quer ir ...conosco...? (nós)
 ▲ Sim! Eu adoro ir à piscina .... (vocês)

b ◆ O Pedro vai à aula de inglês de carro?
 ▲ Vai sim. Por quê?
 ◆ Será que eu posso ir .... ? (ele)

c ◆ Luís, quer andar de bicicleta .... ? (eu)
 ▲ .... (você) não! Você anda muito rápido.

d ◆ Como é o dia a dia da sua mãe?
 ▲ Minha mãe acorda e faz o café .... (eu) À tarde ela faz compras .... (eu), à noite ela cozinha .... (eu e meu irmão)

e ◆ Para quem é a cerveja? E o suco?
 ▲ .... (Maria e Pedro)
 O suco é .... (eu)

11 Complete com *a gente* ou *nós*.

a ◆ O que vocês vão fazer amanhã?
▲ _Nós_ vamos ficar em casa. Por quê?
◆ Eu acho que _a gente_ vai à praia. Vocês não querem ir conosco?

b ◆ O que vocês vão fazer no sábado?
▲ _____ queremos ver o show da Gal.

c ◆ _____ podia nadar amanhã. O que vocês acham?
▲ _____ achamos uma ótima ideia.

d ◆ _____ pode começar a aula mais cedo na próxima terça? _____ queremos ver o filme brasileiro.
▲ Tudo bem. _____ começa então 15 minutos mais cedo.

e ◆ Estou com vontade de comer frutos do mar.
▲ Então _____ podia ir ao Boteco do Zequinha. Eles fazem uma salada de frutos do mar muito gostosa.

f ◆ Queria fazer uma caminhada. Você não quer ir comigo? _____ podia sair depois do café. Que tal?
▲ Tudo bem.

12 Complete com as formas de *encontrar-se*.

a ◆ Vamos fazer uma caminhada na praia no fim de semana?
▲ Ótimo. Podemos _nos_ _encontrar_ ao lado da banca de jornais.
◆ A que horas?
▲ A gente pode _____ entre 10:00 e 10:30.

b ◆ Vamos comer na adega portuguesa amanhã de noite?
▲ Boa ideia. A que horas a gente _____ _____?
◆ Lá pelas 8:00, na adega, tá bom?

c ◆ Que tal ver o jogo no estádio?
▲ Boa ideia. Onde nós _____?
◆ Podemos _____ em frente do estádio, à uma hora.

13 Leia os convites e responda, uma vez, aceitando e indicando a hora e o local, outra vez, recusando o convite e justificando a recusa.

Para: jo@oi.com.br
Assunto: teatro

João e eu vamos ao teatro hoje à noite. Você não quer ir também? Acho que vai ser muito interessante.
Beijinhos,
Manuela

a

Hj à nt vamos ao Bar-Rest. do Paulino. Lá tem caipirinha, batidas e petiscos. Vamos chegar às 21:00. Deixa recado, tá?
Jorge

b

C Em Salvador!

14 Complete as frases com a palavra adequada.

a passear / o passeio
- ◆ Vamos ....passear........... no centro histórico, que tal?
- ▲ Acho mais interessante .... de escuna.

b participar / a participação
- ◆ Quem vai .... do show da Bete Carvalho?
- ▲ Acho que tem .... do Paulinho da Viola.

c visitar / a visita
- ◆ Vamos .... os pontos turísticos de Salvador hoje?
- ▲ Acho melhor deixar .... dos pontos turísticos para amanhã. Está chovendo.

d cantar / as canções
- ◆ O show da Bete Carvalho é um espetáculo. O público .... junto.
- ▲ É, ... dela são fáceis de cantar.

15 Complete com as formas verbais adequadas.

a A Meire gosta muito da Fernanda Torres. Ela .... a todos os filmes dela. (assistir)

b Meus filhos adoram futebol. Eles .... a todos os jogos do Corinthians. (assistir)

c Em geral, quando vamos ao restaurante juntos, na hora de pagar, ... a conta. (dividir)

d Muitas pessoas jantam e, ao mesmo tempo, ... à novela na televisão. (assistir)

e A Manuela e o Júnior .... muito, mas se adoram. (discutir)

f Elas querem ir ao Bar do Plínio, mas o bar só .... às 6. (abrir)

16 Escreva as perguntas. Responda à pergunta "g".

a _O que vamos fazer amanhã?_ .... Vamos ver a exposição de fotografias.
b .... É do Pierre Verger.
c .... A exposição é no Museu de Arte Moderna.
d .... São fotografias sobre a Bahia, Pará, Rio e São Paulo.
e .... De terça a sábado. Das 13 às 19 horas.
f .... No domingo também, das 13 às 18 horas.
g E quem é Pierre Verger? ....

17a Ouça o diálogo. A que anúncio se refere o telefonema? Assinale.

a ☐ **Roda de Choro**
No repertório do show: samba de raiz e ritmos brasileiros
Terças-feiras – 17/20 horas – Teatro Castro Alves

b ☐ **Bete Carvalho**
Canta samba da Bahia
participação especial de outros cantores da MPB
Dias 23 e 24: 20 h. – Teatro Castro Alves

17b Ouça mais uma vez e preencha o formulário.

Nome:	Dia:	Hora:
Número de pessoas:	Preço:	

18 Escreva (numa folha separada) sobre seus planos para o fim de semana.
O que você quer fazer com quem, onde e quando?

19a Que fonemas você ouve: [s] como no inglês _sale_ ou [z] como no inglês _zero_. Assinale.
A seguir, ouça mais uma vez e repita.

	[s]	[z]			[s]	[z]
a saber	☐	☐		e visita	☐	☐
b vamos	☐	☐		f zebra	☐	☐
c posso	☐	☐		g fazer	☐	☐
d vez	☐	☐				

pessoa, semana, cozinhar, aposentado, cinemas, faz, zona, casa, horas, Brasil, dizer, Zeca, diz

19b Leia as palavras da atividade 19a e complete. Você encontra mais exemplos na caixa acima.

- Em início e final de palavra e como **ss**, a letra **s** é pronunciada [s] como no inglês _sale_, por exemplo: saber, ..., ..., ..., ...
- Em final de palavra a letra **z** é pronunciada [s] como no inglês _sale_, por exemplo: vez, ..., ...
- Entre vogais a letra **s** é pronunciada [z] como no inglês _zero_, por exemplo: _visita_, ...
- Em início de palavra e entre vogais, a letra **z** é pronunciada [z] como no inglês _zero_, por exemplo: zebra, _dizer_, ..., ..., ...
- No Rio de Janeiro, a letra **s** em final de palavra é pronunciada [ʃ] como no inglês _shopping_, por exemplo: _cinemas_ [sinemaʃ].

20a Que fonemas você ouve: [r] (movimento vibratório rápido na ponta de língua) ou [h] como no inglês _have_? Assinale. Depois ouça mais uma vez e repita.

	[r]	[h]			[r]	[h]
a caro	☐	☐		d Rio	☐	☐
b correio	☐	☐		e rua	☐	☐
c cantora	☐	☐				

Roberto, cultura, raramente, recado, agora, corremos, rio Reno, real, carro

20b Releia as palavras da atividade 20a e complete. Mais exemplos você encontra na caixa da atividade 20a.

- Entre vogais, a letra **r** é pronunciada com um movimento vibratório rápido na ponta da língua, por exemplo: caro, ..., ...
- Em início de palavra e como **rr**, a letra **r** é pronunciada [h] como no inglês _have_, por exemplo: _Rio, correio_, ...

Na pronúncia do **r**, há diferenças regionais, mais ou menos acentuadas.

21 Ouça e repita.

a Vamos fazer um passeio pelas ruas do Rio de Janeiro.

b Agora eles raramente correm.

c O Zeca diz que vai cozinhar para quarenta pessoas.

d O carro do José é caro, mas o da Zélia é barato.

Eu já...

	👍	✋	👎	LC
• sei falar sobre atividades de lazer e hobbies.	☐	☐	☐	1–5
• sei a diferença entre _saber_ e _poder_.	☐	☐	☐	6–8
• sei fazer telefonemas simples.	☐	☐	☐	9
• sei propor algo.	☐	☐	☐	10, 11, 14, 15
• sei aceitar ou recusar uma proposta e justificar a recusa.	☐	☐	☐	10, 11, 14, 15
• sei marcar um encontro.	☐	☐	☐	10, 11, 14
• consigo captar informações relevantes em anúncios de oferta de lazer.	☐	☐	☐	10, 12, 13

Revisão III

Teste Leia e assinale a alternativa correta.

1. ▲ Quando você faz ioga? ....?
   ◆ Não. Em geral .... trabalho.
   - ☐ a Da manhã / depois de
   - ☐ b De manhã / depois do
   - ☐ c Amanhã / depois da

2. ▲ Você lê jornal antes de ir dormir?
   ◆ Ah! Jornal eu não .... Mas ....
   televisão.
   - ☐ a leio / veja
   - ☐ b leio / vejo
   - ☐ c vejo / leio

3. ▲ O que você faz depois que se levanta?
   ◆ Geralmente .... um pouco de ginástica
   e depois .... banho.
   - ☐ a faço / tomo
   - ☐ b faz / tomo
   - ☐ c faz / toma

4. ▲ .... você vai dormir?
   ◆ .... 11:00 horas.
   - ☐ a Quantas horas / Lá pelas
   - ☐ b Quanto tempo / Lá pelos
   - ☐ c A que horas / Lá pelas

5. ▲ Geralmente, ... você dorme?
   ◆ Bem, eu .... umas seis horas.
   - ☐ a quantas horas / dorme
   - ☐ b que horas / dormes
   - ☐ c quantas horas / durmo

6. ▲ Que horas são?
   ◆ .... meio-dia. Não, não, ... 11:50 horas.
   - ☐ a São / são
   - ☐ b É / são
   - ☐ c São / é

7. ▲ .... você arruma a sua casa?
   ◆ Uma .... por semana.
   - ☐ a A que horas / vez
   - ☐ b Quanto tempo / vezes
   - ☐ c Com que frequência / vez

8. ▲ Por favor, onde .... a Sorveteria Rocha?
   ◆ .... a pizzaria e o correio.
   - ☐ a fica / Em frente
   - ☐ b tem / No meio
   - ☐ c é / Entre

9. ▲ .... um banco aqui perto?
   ◆ ...., sim. Em frente da banca de jornais.
   - ☐ a Tem / É
   - ☐ b Tem / Tem
   - ☐ c É / É

10. ▲ Por favor, para ir ao hospital?
    ◆ Ao hospital? Olha, ... sempre em frente,
    .... à esquerda na segunda rua. O hospital fica
    logo à direita.
    - ☐ a vira / fica
    - ☐ b segue / fica
    - ☐ c segue / vira

11. ▲ Como elas vão à aula de português?
    ◆ Às vezes vão ...., às vezes .... metrô.
    - ☐ a a pé / de
    - ☐ b de pé / do metrô
    - ☐ c a pé / com

12. ▲ Por que é que vocês gostam da sua cidade?
    ◆ .... restaurantes e também .... tem
    um parque grande.
    - ☐ a por causa das / por causa
    - ☐ b por que / por causa
    - ☐ c por causa dos / porque

13. ▲ Você .... tênis nas suas horas de lazer?
    ◆ Não, porque não ...., mas .... flauta.
    - ☐ a joga / sei / toco
    - ☐ b faz / sabe / toca
    - ☐ c pode / sei / toco

14. ▲ Vocês .... dominó com as crianças?
    ◆ Não, elas não gostam. Mas .... muito com elas
    no jardim.
    - ☐ a jogam / brincamos
    - ☐ b jogam / tocam
    - ☐ c brinca / jogo

15. ▲ Alô? Bom dia! Por favor, ...
    ◆ Ela não está. Quer ....?
    - ☐ a a Dora? / falar amanhã
    - ☐ b queria falar com a Dora / deixar recado
    - ☐ c ela está? / falar com quem

16. ▲ Quando nós .... encontramos amanhã?
    ◆ Bem, ... se encontra às 8 horas .... noite.
    - ☐ a nós / nos / da
    - ☐ b nos / a gente / por
    - ☐ c nos / a gente / da

17. ▲ Você não quer passear conosco no Jardim Botânico
    hoje de tarde?
    ◆ ....
    - ☐ a Não, não vou passear.
    - ☐ b Infelizmente, hoje de tarde tenho uma
      reunião.
    - ☐ c Sim, que pena não posso.

18. ▲ Que tal, você não quer correr ....?
    ◆ Não. .... eu não vou. Você corre muito rápido.
    - ☐ a conosco / Comigo
    - ☐ b comigo / Com você
    - ☐ c com você / Com você

Ficha de avaliação Esta ficha vai ajudar você a avaliar seus conhecimentos.

Na coluna avaliação, anote o símbolo de acordo com o resultado:

++ (muito bem) + (bem) ! (ainda é difícil para mim)

Se necessário, você pode revisar o conteúdo das lições. Os números na última coluna indicam a lição.

	Ava-liação	Lição
Ouvir		
Eu entendo quando alguém fala sobre sua rotina diária.		7
Eu entendo indicações de horas, períodos do dia e frequência.		7
Eu entendo quando alguém descreve sua cidade e diz por que gosta de morar lá.		8
Eu entendo descrições simples de localização de pessoas ou prédios.		8
Eu entendo descrições simples de caminhos e meios de transporte.		8
Eu entendo conversas simples sobre atividades de lazer e hobbies.		9
Eu entendo informações simples ao telefone, por exemplo, motivo, local e hora de um encontro.		9
Ler		
Eu entendo descrições de atividades do dia a dia em textos simples.		7
Eu entendo uma descrição simples de uma cidade num cartão postal.		8
Eu entendo descrições simples de caminhos, por exemplo, num e-mail.		8
Eu entendo anúncios simples sobre atividades de lazer.		9
Eu entendo convites simples de amigos enviados por e-mail ou sms.		9
Falar		
Participar de conversas		
Eu sei responder e fazer perguntas sobre atividades do dia a dia.		7
Eu sei dizer as horas, perguntar e dar informações sobre circunstâncias de tempo: a que horas, em que período do dia e com que frequência.		7
Sei perguntar e dizer onde alguém ou um prédio se encontra.		8
Sei perguntar e descrever um caminho a um determinado lugar.		8
Sei indicar meios de transporte.		8
Eu sei falar sobre atividades de lazer e hobbies numa conversa simples.		9
Eu sei marcar um encontro, também por telefone e, por exemplo, aceitar ou recusar uma sugestão e justificar a recusa.		9
Fazer breves relatos		
Eu sei falar sobre rotinas diárias, atividades de lazer e hobbies.		7, 9
Eu sei descrever minha cidade/bairro e justificar porque gosto de morar lá.		8
Escrever		
Eu sei descrever minha rotina diária ou semanal num texto simples.		7
Eu sei descrever minha cidade/bairro.		8
Eu sei descrever o caminho para minha casa/apartamento.		8
Eu sei escrever um e-mail aceitando ou recusando um convite e justificando minha recusa.		9
Eu sei descrever meu fim de semana: o que faço, com quem, onde e quando.		9

Ⓐ Bom fim de semana!

1 O que combina? Relacione.

a	ficar	1	até as 11
b	ligar	2	ao teatro
c	dormir	3	uma tradução
d	fazer	4	doente
e	ir	5	uma caminhada
f	levar	6	para os amigos
g	terminar	7	os filhos ao cinema

2 Complete a primeira coluna com o infinitivo dos verbos e as frases com as formas verbais adequadas.

infinitivo

a Fui para a cama cedo. _ir_ Ele não _foi._
b Ele voltou tarde para casa. _____ Eu não _____
c Alice teve preocupações no fim de semana. _____ Eu não _____
d Américo fez uma caminhada no parque. _____ Eu também _____
e Eu liguei para o médico. _____ Ela não _____
f Ana leu antes de dormir. _____ Eu também _____
g Ela foi ao concerto no domingo. _____ Eu não _____
h Eu dormi pouco de domingo para segunda. _____ Ele também _____ pouco.
i Ele teve muito trabalho. _____ Eu não _____

3 Complete as frases com verbos no perfeito. A seguir, escreva-os nas palavras cruzadas. Qual é a palavra em "l"?

a Na sexta-feira, depois do trabalho, eu _jantei_ com meus colegas num restaurante de comida árabe.

b Antes de dormir Juliana _____ o jornal.

c Alice _____ os filhos ao médico.

d Eu liguei para a casa do Paulo, mas ninguém

_____ .

e Minha semana _____ muito cansativa.

f De manhã nós _____ à feira para comprar frutas e legumes.

g O Américo _____ a tradução no domingo depois da meia-noite.

h No domingo o Américo _t_____ o dia inteiro.

i No domingo não acordei cedo. Eu _____ até o meio-dia.

j No fim de semana nós _____ em casa, não saímos.

k No sábado o avô da Juliana _____ na casa dela.

l _____

4 Complete as frases com as formas verbais adequadas.

a ▲ O que você _fez_ no sábado? (fazer)
   ◆ No sábado eu .... com os meus tios. (almoçar)

b ▲ Seus filhos .... com vocês? (almoçar)
   ◆ Sim, sim. Nós .... todos juntos no domingo. (almoçar)

c ▲ Você vai ao churrasco da sua amiga?
   ◆ Vou, sim. Já .... para ela para dizer que eu vou. (ligar)

d ▲ Quem .... com os filhos na segunda-feira? (ficar)
   ◆ Eu .... em casa. Não fui trabalhar. (ficar)

5 Responda afirmativamente.

a Vocês compraram um presente para o colega?   _Compramos, sim._

b Vocês ficaram em casa no domingo? ....

c Vocês dormiram até tarde no sábado? ....

d Vocês foram ao cinema? ....

e Vocês fizeram uma caminhada depois do almoço? ....

f Vocês saíram na sexta-feira? ....

g Vocês leram o texto? ....

6 Complete as frases com os verbos no singular.

a Os últimos dias foram horríveis. O sábado não .... melhor.

b Meus colegas tiveram gripe. O chefe também .... uma gripe muito forte.

c Eles não fizeram muita coisa. Leandro também não .... nada.

d Eles gostaram do filme. Paula não .... nada do filme.

e Eles viram um filme policial. Carla .... o jogo de futebol.

f Todos foram ao bar do Zé. Teresa não ....

g Todos beberam cerveja. Pedro .... vinho.

7 *Nada de especial.* Ouça o diálogo. As afirmações são verdadeiras (V) ou falsas (F). Assinale.

	V	F
a No fim de semana a Lena não fez nada de especial.	☐	☐
b A Lena não saiu.	☐	☐
c A Regina foi à praia com um grupo de amigos.	☐	☐
d Eles saíram de casa depois do almoço.	☐	☐
e A Regina só tomou banho de sol.	☐	☐
f Eles almoçaram num restaurante simples, muito bom.	☐	☐
g Eles comeram peixe na praia.	☐	☐

8 *Hoje foi tudo diferente!* Escreva frases exprimindo ação habitual e ação que ocorreu só hoje.

Normalmente…	Hoje…
a levantar-se cedo, às 6	… tarde, às 11
b tomar o café da manhã na padaria	… em casa
c não comer nada	… pão com manteiga e frutas
d fazer ginástica de manhã	… de tarde
e ter reunião de tarde	… antes do almoço
f ver futebol na televisão no sábado de noite	… um filme policial
g voltar para casa depois do trabalho	ir tomar chope com os colegas
h ir dormir cedo	ir dormir tarde

a Normalmente, *eu me levanto cedo, às 6.* Hoje, *me levantei tarde, às 11.*

b

c

d

e

f

g

h

9 O que você faz habitualmente nas sextas-feiras? O que você fez na sexta-feira passada? Escreva um pequeno texto.

(B) Acontecimentos passados

10 Faça frases.

a ontem / a fábrica de Ourinhos / fechar / a multinacional TAF

b ir a / música rap / 2000 fãs / festival de / na semana passada

c teatro / morrer / no ano passado / o ator de / Paulo Autran

d a França / na copa de 2006 / a Itália / e ganhar / jogar contra / por 6 a 4

e Olímpia (SP)* / 150000 pessoas / visitar / no festival do folclore

* Olímpia (olimpiaweb.com.br), conhecida como a "Capital Nacional do Folclore", realiza todos os anos em agosto o "Festival Nacional do Folclore".

11 Complete as lacunas com os verbos no presente ou no perfeito.

a Ele ...*vai*....... ao jogo de futebol todos os sábados. (ir)

b Ela .... a avó ontem de manhã. (visitar)

c Todos os dias eu .... arroz com feijão. (comer)

d Ontem .... um artigo no jornal muito interessante. (ler)

e Que filme você .... no último fim de semana? (assistir)

f Geralmente ela .... ginástica nas sextas-feiras. (fazer)

g No sábado passado, eu .... a aprender tango. (começar)

h Na semana passada, eu .... futebol com amigos. (jogar)

12 Quando você praticou que atividade pela última vez? Complete.

perder o ônibus • ouvir rádio • ter uma reunião com o chefe • perder dinheiro

perder a hora • ganhar no jogo de xadrez • chegar atrasado/-a ao trabalho

ontem	na semana passada	há ...
Ontem eu perdi o ônibus.		

13 Planejamento de um fim de semana num hotel. Ouça e assinale na coluna adequada.

	já	ainda não
a perguntar aos colegas	☐	☐
b responder ao e-mail	☐	☐
c procurar o hotel	☐	☐
d escolher o hotel	☐	☐
e reservar os apartamentos	☐	☐

14 *já / ainda não*. Escreva frases com os verbos do exercício 13. O que já está resolvido? O que ainda falta resolver?

a Jorge *já perguntou aos colegas.*

b Muitos ainda não ....

c ....

d ....

e ....

15 Escreva as perguntas.

a ◆ *Quando você estere no Brasil* .... ?
   ▲ Estive no Brasil no ano passado.

b ◆ .... ?
   ▲ Pela última vez? Fui à praia há meio ano.

c ◆ .... ?
   ▲ Vi um filme francês.

d ◆ .... ?
   ▲ O filme foi muito bom. Vale a pena ver.

e ◆ .... ?
   ▲ Não, não; nunca dei uma festa para mais de 30 pessoas.

f ◆ .... ?
   ▲ Não fiz muita coisa não.

g ◆ .... ?
   ▲ Ao concerto? Não fui não. Não tive tempo.

h ◆ .... ?
   ▲ Estive em Portugal várias vezes.

C O que aconteceu nas décadas de 50 e 60?

16 Leia o texto sobre Tom Jobim no Livro de Curso, pág. 91 e responda às perguntas.

a Onde Tom Jobim nasceu?

....

b O que ele fez no início de carreira?

....

c Qual é o nome da música que marca o início da Bossa Nova?

....

d Quais são as duas canções que tiveram muito sucesso nos Estados Unidos ? Em que ano foi?

....

e Quando e com quem ele compôs "Garota de Ipanema"?

....

f Com quantos anos Tom Jobim morreu?

....

17 Ouça a biografia da Márcia Haydée. Complete as afirmações assinalando a alternativa correta.

a Márcia Haydée é
☐ francesa.   ☐ brasileira.

b Ela nasceu em
☐ 18 de abril de 1937.   ☐ 18 de abril de 1947.

c Começou a estudar balé clássico com
☐ treze anos.   ☐ três anos.

d Com 15 anos ela foi estudar balé em
☐ Londres.   ☐ Paris.

e Em 1961 ela mudou para o Balé de
☐ Stuttgart.   ☐ Bochum.

f Ela se tornou primeira-bailarina do Balé de Stuttgart em
☐ 1962.   ☐ 1972.

g Foi diretora do Balé de Stuttgart e também do
☐ Balé de São Paulo.   ☐ Balé de Santiago de Chile.

h Com uma coreografia para "A Bela Adormecida", iniciou sua carreira de coreógrafa
☐ em 1987.   ☐ em 2000.

i Encerrou sua carreira de bailarina do Balé de Stuttgart
☐ em 1996.   ☐ em 2006.

18 Relate, num pequeno texto, aspectos da sua biografia.

....
....
....
....
....
....
....
....
....

Eu já...   👍 ✋ 👎   LC

• sei narrar acontecimentos passados.   ☐ ☐ ☐   1–8
• sei avaliar experiências.   ☐ ☐ ☐   9, 10
• sei recontar notícias simples e curtas.   ☐ ☐ ☐   11, 12
• sei indicar circunstâncias de tempo.   ☐ ☐ ☐   13–15
• sei informar sobre pessoas e acontecimentos.   ☐ ☐ ☐   16, 17
• sei indicar datas.   ☐ ☐ ☐   16, 20, 21
• consigo compreender os aspectos principais de textos mais longos. ☐ ☐ ☐   18, 19, 22, 25
• sei falar sobre acontecimentos pessoais importantes.   ☐ ☐ ☐   23, 24

Puxa! Que casaco lindo!

1 Escreva os termos representados nas ilustrações nas palavras cruzadas.
Qual é a palavra em "j"?

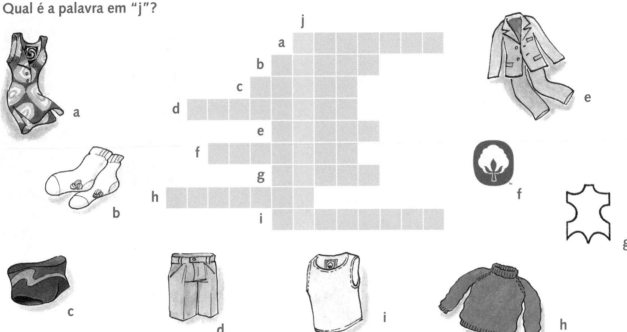

2 Complete com as formas de *usar*, *calçar* ou *vestir*.

a No verão, eu ..uso.... óculos de sol.

b No inverno, eu .... botas. Nunca .... saias por causa do frio.

c Na primavera, eu .... uma blusa de manga comprida, calça, mas não ....
sandálias.

d No outono, de noite, eu .... sempre uma malha de lã.

e Prefiro .... camiseta de algodão.

f Muitas pessoas não .... calça jeans para ir ao trabalho.

g No Brasil em quase todas as escolas as crianças .... uniforme.

3 Complete as expressões com as cores adequadas.

a ..amarelo.... como o ouro   f .... como a laranja

b .... como os brócolis   g .... como o leite

c .... como o sol   h .... como a batata

d .... como a noite   i .... como um dia de novembro sem sol

e .... como o mar   j .... como o tomate

4 Preencha as lacunas com as terminações.

a ..uma.. sung..a.... verd..e....   f d........ par........ de mei........ marro........

b d..ois.. maiô..s.... verd..es....   g u........ pulôve........ marro........

c u........ casac........ ros........   h d........ malh........ laranj........

d d........ vestid........ azu........   i d........ calç........ cinz........

e d........ camis........ ros........

5a Ouça e numere os modelos pela ordem de descrição. Depois escreva os nomes dos modelos.

a ☐ Nome: ....   b ☐ Nome: ....   c ☐ Nome: ....

5b Ouça mais uma vez e escreva a ficha de cada modelo: nome da peça, cor, estampa e outras descrições.

a

Nome: ....
....
saia preta ....
....
casaco ....
....

b

Nome: ....
....
....
....
....
....
....

c

Nome: ....
....
....
....
....
....
....

6 O que você veste nas seguintes ocasiões?

a para ir ao trabalho: ....
b para ir à balada no sábado: ....
c para ficar em casa: ....
d para fazer uma caminhada na cidade: ....
e para passar três dias na Floresta Amazônica: ....

B Qual é o seu tamanho?

7 Complete com *muito* (advérbio), *muito/-a* ou *muitos/-as*.

a A loja tem ...*muitas*............... ofertas boas.
b Os sapatos desta loja são .... caros.
c A blusa ficou .... grande.
d Compramos .... vestidos na liquidação.
e .... lojas fecham às 22:00 horas.
f A saia vermelha é .... feia.
g Nesta rua as lojas têm .... problemas.
h A qualidade da seda desta blusa não é .... boa.
i Para mim, o cinza é uma cor .... triste.
j É liquidação! Há .... gente na loja hoje.

8 Complete com *este(s)*, *esta(s)*, *aquele(s)* ou *aquela(s)*.

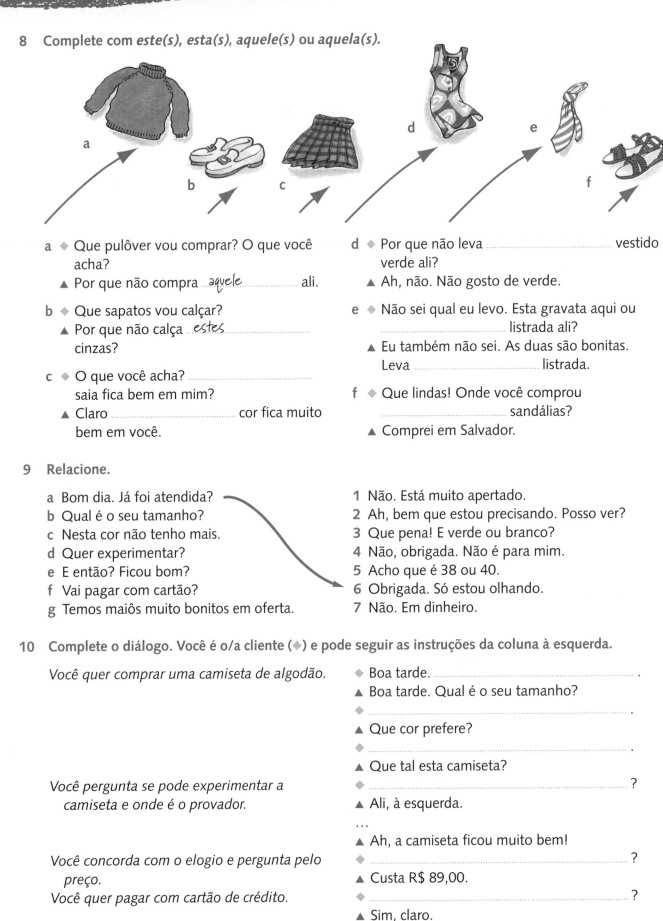

a ◆ Que pulôver vou comprar? O que você acha?
▲ Por que não compra ...*aquele*........ ali.

b ◆ Que sapatos vou calçar?
▲ Por que não calça ...*estes*........ cinzas?

c ◆ O que você acha? .... saia fica bem em mim?
▲ Claro .... cor fica muito bem em você.

d ◆ Por que não leva .... vestido verde ali?
▲ Ah, não. Não gosto de verde.

e ◆ Não sei qual eu levo. Esta gravata aqui ou .... listrada ali?
▲ Eu também não sei. As duas são bonitas. Leva .... listrada.

f ◆ Que lindas! Onde você comprou .... sandálias?
▲ Comprei em Salvador.

9 Relacione.

a Bom dia. Já foi atendida?
b Qual é o seu tamanho?
c Nesta cor não tenho mais.
d Quer experimentar?
e E então? Ficou bom?
f Vai pagar com cartão?
g Temos maiôs muito bonitos em oferta.

1 Não. Está muito apertado.
2 Ah, bem que estou precisando. Posso ver?
3 Que pena! E verde ou branco?
4 Não, obrigada. Não é para mim.
5 Acho que é 38 ou 40.
6 Obrigada. Só estou olhando.
7 Não. Em dinheiro.

10 Complete o diálogo. Você é o/a cliente (◆) e pode seguir as instruções da coluna à esquerda.

Você quer comprar uma camiseta de algodão.

◆ Boa tarde. ....
▲ Boa tarde. Qual é o seu tamanho?
◆ ....
▲ Que cor prefere?
◆ ....
▲ Que tal esta camiseta?

Você pergunta se pode experimentar a camiseta e onde é o provador.

◆ .... ?
▲ Ali, à esquerda.
...
▲ Ah, a camiseta ficou muito bem!

Você concorda com o elogio e pergunta pelo preço.
Você quer pagar com cartão de crédito.

◆ .... ?
▲ Custa R$ 89,00.
◆ .... ?
▲ Sim, claro.

11 Qual é o contrário? Relacione.

a largo/-a
b comprido/-a; longo/-a
c grande
d caro/-a
e alegre
f esportivo/-a
g bonito/-a
h moderno/-a

1 barato/-a
2 feio/-a
3 formal
4 justo/-a; apertado/-a; estreito/-a
5 curto/-a
6 tradicional
7 pequeno/-a
8 triste

12a Que saia Neuza quer experimentar? Ouça e assinale.

R$ 110,00   R$ 50,00   R$ 50,00
a ☐   b ☐   c ☐

12b Ouça mais uma vez. As afirmações são verdadeiras (V) ou falsas. Assinale.

V   F

a A saia listrada é *mais* elegante *que* a saia xadrez. ☐ ☐
b A saia estampada é *tão* barata *como* a listrada. ☐ ☐
c A saia listrada é *menos* cara *que* a xadrez e a estampada. ☐ ☐
d As saias estampada e xadrez são *mais* caras *que* a listrada. ☐ ☐
e A saia estampada é *mais* barata *que* a xadrez. ☐ ☐
f A saia listrada é *a melhor das* três. ☐ ☐
g A saia listrada é *a menos cara de* todas. ☐ ☐

12c Corrija as afirmações falsas do exercício 12b.

....
....
....
....

13 Substitua as formas dos superlativos.

a ◆ Vamos comprar o presente para a Teresa na "Diana"?
  ▲ Você está louca? Os produtos daquela loja são ...*caríssimos*... . (muito caros)

b ◆ Museu do Vestido? Uma coisa monótona, não acha?
  ▲ Não, o Museu do Vestido é .... (muito interessante)

c ◆ Você gosta destas bolsas modernas?
  ▲ Ah... Estas bolsas enormes? São .... (muito caras)
    e .... (muito feias)

d ◆ Como são os seus colegas do Curso de Modas?
  ▲ Olha, eles são .... (muito divertido)

e ◆ E como é seu novo chefe?
  ▲ Olha, ele é .... (muito elegante) Está sempre bem vestido.

14 Complete.

grande ◆ maior (do) que ◆ o/a maior ◆ bom/boa ◆ melhor (do) que ◆ o/a melhor ◆ tão...como

a As sandálias são ...*maiores*... *que* os sapatos verdes.

b As sandálias são .... os sapatos pretos.

c Os sapatos pretos são .... os sapatos verdes.

d Os tênis são .... de todos.

e Para fazer caminhadas calçar os tênis é a .... solução.

15 Compare as três pessoas da foto, Júlia, João e Helena.

magro/-a ◆ alto/-a ◆ gordinho/-a ◆ novo/-a ◆ velho/-a

triste ◆ alegre ◆ simpático/-a ◆ calmo/-a

C Lá tem de tudo!

16 Leia o texto sobre a rua 25 de Março no Livro de Curso, pág. 100 e responda.

a O que se pode comprar na rua 25 de Março?
....

b Como são os preços da rua 25 de Março em comparação com outros lugares?
....

c Quantas pessoas circulam pela rua em dias normais? E na época do Natal?
....

d Como e quando começou a história da rua?
....

e Que línguas se falam e se ouvem na 25 de Março?
....

17 Complete as frases com as formas do superlativo.

a A rua 25 de Março é *um grande* centro de comércio popular. É o ....*maior*.... centro de comércio popular da *América Latina*.

b É *um* centro *tradicional* de comércio popular. É .... centro de comércio popular *mais* .... de São Paulo.

c Os preços são *bons*. São .... preços *da cidade*.

d A rua é *um bom* exemplo de integração. É um dos .... exemplos de integração de São Paulo.

e A rua é *famosa*. É uma das ruas ....

f As roupas são *baratas*. São *as* roupas ....

18 Assinale o termo adequado à frase à esquerda.

a Uma coisa que não se pode calçar: meias ◆ sandálias ◆ sapatos ◆ saia
b Lugar em que não se costuma fazer compras: loja ◆ igreja ◆ shopping ◆ centro comercial
c Uma coisa que não se pode vestir: sunga ◆ maiô ◆ sapato ◆ casaco
d Não entraram no Brasil como imigrantes: sírios ◆ libaneses ◆ índios ◆ italianos
e Adjetivo que não combina com "pessoas": eletrônicas ◆ pobres ◆ ricas ◆ famosas

Eu já...	👍	✋	👎	LC
• sei denominar peças do vestuário e acessórios.	☐	☐	☐	1, 7, 11, 13
• sei dizer as estações do ano.	☐	☐	☐	2–4
• sei dizer as cores.	☐	☐	☐	5, 6
• sei elogiar alguém.	☐	☐	☐	8, 9
• consigo manter um diálogo simples de compra de roupas.	☐	☐	☐	10, 12
• sei indicar coisas que estão longe ou perto de mim.	☐	☐	☐	10, AB 8
• sei fazer comparações.	☐	☐	☐	14–17
• sei falar sobre hábitos de compras.	☐	☐	☐	18, 19
• consigo captar as ideias principais de um artigo de jornal.	☐	☐	☐	20–24

A saúde da mente e do corpo

A Vida moderna: Vida estressante?

1 Escolha para cada situação a alternativa mais "saudável".

a Só uso o elevador. ⑤
b Como muita batata frita e hambúrguer. ☐
c Só penso no trabalho. ☐
d Durmo pouco porque tenho de me levantar cedo. ☐
e Quando vou para o trabalho, fico impaciente quando tem muito trânsito. ☐
f De manhã, sempre saio correndo de casa. ☐
g Bebo mais de cinco xícaras de café. ☐

1 Ana vai para a cama mais cedo.
2 Ana se diverte. Ela vai ao cinema.
3 Ana acorda meia hora mais cedo.
4 Ana come frutas e legumes.
5 Ana sobe e desce a escada.
6 Ana bebe água ou chá.
7 Ana vai para o trabalho de metrô ou de ônibus.

2 Qual é o significado das palavras sublinhadas? Relacione.

a Eu me apronto correndo.
b Saio de casa correndo para pegar o ônibus.
c Ela vive correndo.
d Ele corre todos os dias no parque.
e A vida dele é um corre-corre.

1 Sua vida é estressada; tem muita coisa para fazer.
2 em poucos minutos
3 Ele faz cooper.
4 rapidamente
5 Ele tem uma vida estressada com muita coisa para fazer.

3 Reformule as frases empregando o gerúndio.

a Saio de casa e *corro* para pegar o ônibus. → Saio de casa _correndo_ para pegar o ônibus.
b Tomo o café da manhã e *leio* o jornal. → Tomo o café da manhã .... o jornal.
c Muitos jantam e *veem* televisão. → Muitos jantam .... televisão.
d Não são poucos os que andam na rua e *telefonam*. → Não são poucos os que andam na rua ....
e Algumas pessoas andam na rua e *comem* um sanduíche. → Algumas pessoas andam na rua .... um sanduíche.

4 Complete as frases com a palavra adequada.

a aprontar/pronto
   ◆ De manhã, levo pelo menos uma hora para me ....
   ▲ Eu não. Eu me levanto e fico _pronta_ em poucos minutos.

b trabalhar/trabalho
   ◆ Seu ambiente de .... é agradável?
   ▲ Muito. Gosto muito dos colegas com quem ....

c angústia/angustiadas
   ◆ Muitos sofrem de ....
   ▲ É mesmo. Muitas pessoas ficam .... quanto têm muito trabalho.

d depressão/deprimido
   ◆ O que ele fez para combater a ....?
   ▲ Olha, ele mudou de emprego e não está mais ....

e estresse/estressado
   ◆ Você fuma para combater o ....? Isto não é bom.
   ▲ Eu sei. Mas quando estou ...., eu fumo e me sinto melhor.

f encontrar/encontros
   ◆ Você tem tempo para .... seus amigos?
   ▲ Infelizmente os .... com os amigos são poucos.

5 Forme frases com os verbos no imperativo.

a tomar o café da manhã / sempre   *Tome o café da manhã sempre.*
b não / beber em excesso
c desacelerar / o ritmo de vida
d reduzir / as horas de trabalho
e viver / sem estresse
f evitar comer / carne vermelha
g evitar almoçar / com pressa

6 Escreva as formas verbais na 1ª pessoa do singular do presente do indicativo.

a ler os resultados da pesquisa   *eu leio*
b dormir
c divertir-se
d sair de casa
e fazer ioga
f ir ao cinema ou ao teatro
g preferir carne branca ou peixe

7 Complete com o imperativo.

a ___Vá___ sempre ao cinema ou ao teatro. (ir)
b .... ioga para combater o estresse. (fazer)
c Nos fins de semana .... com a família ou com amigos. (divertir-se)
d .... um pouco antes de dormir. (ler)
e Não .... de casa sem tomar o café da manhã. (sair)
f .... carne branca ou peixe. (preferir)
g .... de sete a oito horas por dia. (dormir)

8 Complete as instruções com o imperativo.

Algumas regras para correr:

___Aqueça___ (aquecer) o corpo antes de começar a correr. .... (vestir) roupas

confortáveis. .... (usar) sapatos especiais para correr. .... (correr) num

parque, de preferência, de manhã. Não .... (correr) ao meio-dia, quando o sol está

forte. Não .... (correr) depois do almoço. .... (fazer) pausas a cada

15 minutos. .... (beber) bastante água antes, durante e depois da corrida.

9a Ouça a entrevista com a nutricionista e numere a sequência dos assuntos abordados.

a ginástica/ioga/dança ☐　　　c água ☐

b carne vermelha ☐　　　d vinho tinto ☐

9b Ouça mais uma vez. As afirmações são verdadeiras (V) ou falsas (F)? Assinale.

	V	F
a Deve-se comer sempre filé porque é a carne mais saudável.	☐	☐
b Pessoas tensas e nervosas devem fazer ioga e dançar.	☐	☐
c Alguns especialistas dizem que o vinho tinto é bom para o coração.	☐	☐
d Pode-se beber um copo de vinho tinto por dia.	☐	☐
e É importante tomar bastante água por dia.	☐	☐
f Tomem pelo menos três litros de água por dia.	☐	☐

10 O que você recomenda a estas pessoas? Faça no mínimo duas recomendações.

a Faço ginástica, mas continuo tensa e nervosa.
   Faça uma ginástica mais calma, como pilates. Faça ioga. Nade bastante, todos os dias.

b Durmo muito mal.

c Não tomo o café da manhã porque não tenho tempo.

d Estou um pouco deprimida.

B Nossa, o que é que você tem?

11 Escreva os nomes das partes do corpo e seus respectivos artigos.

pescoço • queixo • ombro • joelho • costas • testa • nariz •
boca • mão • braço • perna • dedos do pé • orelha • olho

12 Complete as frases. Depois, observando a ordem de numeração, escreva as letras dos quadrados na frase-solução ao pé da página.

a ◆ Ontem eu fiz uma caminhada de 10 km e agora estou com dor nas (1) p e r [n] a s .
　　▲ É bom fazer massagem.

b ◆ O que aconteceu com a sua (2) __ [ ] __?
　　▲ Eu me cortei com a faca.

c ◆ Como está o (3) __ [ ] __ __ __ __? Está (16) __ __ __ [ ] __ __?
　　▲ Um pouco. Mas daqui a pouco passa.

d ◆ Acho que estou com (4) __ [ ] __ __ __ .
　　　A minha (12) __ [ ] __ __ __ está quente.
　　▲ É mesmo. Você está (9) __ __ __ [ ] __ __ __ __!
　　　Puxa! Você está mesmo com uma (10) __ __ __ __ [ ] muito forte!

e ◆ Estou com dor nas (5) __ __ [ ] __ __ __ .
　　▲ Coitado! Olha, é bom passar uma
　　　(18) __ [ ] __ __ __ __ e fazer massagem.

f ◆ Estou com dor de (6) __ __ __ [ ] __ .
　　▲ Você tem que ir ao dentista.

g ◆ Estou com uma (7) __ [ ] __ de cabeça terrível.
　　　Você tem uma (11) __ [ ] __ __ __ __ __ __?
　　▲ Sinto muito, não tenho.

h ◆ E então, (8) __ __ [ ] __ __ __ Cássia, é grave o que eu tenho?
　　▲ Não é nada grave. Não precisa se preocupar.

i ◆ Como vai o Carlinhos, Amélia?
　　▲ Ele está meio (13) __ __ __ [ ] __ __ . Está com dor de (15) __ __ __ [ ] __ __ .

j ◆ Estou com dor de (14) __ __ __ __ __ __ __ [ ] __ .
　　▲ Você pode ir à farmácia comprar pastilhas para
　　　(14) __ __ __ __ __ __ [ ] __ para mim?

k ◆ Estou com o corpo (16) __ __ __ [ ] __ __. Acho que estou com (10) __ __ __ __ __ [ ] .
　　　Vou à farmácia comprar um (20) __ [ ] __ __ __ __ __ __ .
　　▲ Acho melhor você ir ao (21) [ ] __ __ __ __ __ __ . Não é bom tomar (20) __ [ ] __ __ __ __ __
　　　sem receita médica.
　　◆ É, você tem razão.

l ◆ O que é que você tem?
　　▲ Estou com dor de (19) [ ] __ __ __ __ __ __ .
　　　Foi alguma coisa que comi ontem naquele
　　　restaurante. Acho que vou ficar com (17) [ ] __ __ __ __ __ __ __ __ .

frase-solução: [N][ ][ ] [ ][ ][ ][ ][ ] [ ][ ] [ ][ ][ ][ ][ ][ ][ ][ ][ ] [ ][ ][ ]
　　　　　　　 1　2　3　4　5　6　7　8　9　10　11　12　13　14　15　16　17　18　19　20　21

13 Ouça o diálogo. Qual é a alternativa correta? Assinale.

a Como Marina está se sentindo? ☐ mal.   ☐ bem.
b Ela está   ☐ com dor de cabeça.   ☐ com dor de garganta.
c Ela   ☐ está com febre.   ☐ não está com febre.
d Vai ao médico   ☐ hoje.   ☐ amanhã.
e A amiga aconselha   ☐ ir para a cama.   ☐ tomar um banho.

14 Um amigo seu não está se sentindo bem. Que conselhos você dá a ele?

"Estou com dor nas costas. Meu ombro também está doendo. Acho que é porque trabalho muito tempo sentado, no computador."

(não) deve • (não) devia • é bom • é melhor • precisa • tem de • evite ...

É bom ....

....

....

C Dieta saudável

15a Leia o texto sobre a pirâmide alimentar no Livro de Curso, pág. 108, atividade 14b e resolva 15b e 15c.

15b Por que os nutricionistas brasileiros classificam os alimentos ricos em proteínas em três grupos?

a Para destacar a carne como o alimento mais importante.   ☐
b Para destacar o feijão, um prato muito apreciado pelos brasileiros. ☐

15c Que produtos da tabela você consome? Com que frequência?

	(quase) todos os dias	às vezes	(quase) nunca
a carboidratos	pão		
b legumes e frutas			
c proteína			
d gordura/açúcar			

16 Complete as frases.

bem • mal • bom • boa • mau • má • ruim

a ▲ Você dorme *bem* .... ?
   ◆ Geralmente sim, mas hoje dormi ....
      Fiquei pensando no trabalho que tenho que terminar.

b ▲ Como é a sua alimentação?
   ◆ Acho que é ...., pois é variada. Como de tudo um pouco.

c ▲ Como vai, Dona Teresa? Já passou a gripe?

◆ Vou ...., obrigada. Tomei um remédio muito .... e a gripe passou logo.

d ▲ Você está contente com o trabalho?

◆ Sim, graças a Deus não tenho mais estresse. O novo chefe é muito ....

▲ A minha chefe também é muito ....

e ▲ Nossa, o que é que você tem?

◆ Ontem comi um sanduíche muito gorduroso e agora não estou me sentindo ....

▲ É, faz .... comer muita gordura.

f ▲ Quantas vezes por semana você faz jogging?

◆ Corro todos os dias, mesmo quando o tempo está ....

17a Quem diz o quê? Rita (R) ou Mário (M)? Relacione.

Como legumes e frutas todos os dias.

a ☐

Como muitos hambúrgueres com coca-cola, pois não tenho tempo para cozinhar.

e ☐

Gosto de carne, batata frita, arroz e feijão.

b ☐

Geralmente, não como muito pão e massas, mas adoro um bom arroz com feijão.

f ☐

Muitas vezes, sinto-me cansado/-a. Por isso não faço esporte.

c ☐

Saladas e legumes não é comigo. Não gosto muito.

g ☐

Eu como frutas só de vez em quando.

d ☐

18 Faça um plano de alimentação saudável para Mário conforme a pirâmide alimentar do Livro de Curso, pág. 108, atividade 14b.

a no café da manhã: ....

b no almoço: ....

c na pausa: ....

d no jantar: ....

Eu já...

	👍	✋	👎	LC
• sei falar sobre estresse e suas causas.	☐	☐	☐	1–4
• consigo captar as ideias centrais de um texto explicativo sobre o tema saúde.	☐	☐	☐	3, 14b
• sei fazer recomendações e dar conselhos.	☐	☐	☐	4–7, 12
• sei denominar as partes do corpo.	☐	☐	☐	8
• sei falar sobre o estado de saúde.	☐	☐	☐	9–12
• sei falar sobre hábitos alimentares saudáveis e não saudáveis.	☐	☐	☐	13–15

Revisão IV

Teste   Leia e assinale a alternativa correta.

1. ▲ Afinal, quem .... o almoço e o jantar ontem?
   ◆ Eu .... o almoço. O Leo e o Airton ... o jantar.
   - ☐ a faz / fez / fazem
   - ☐ b fez / fez / fizeram
   - ☐ c fez / fiz / fizeram

2. ▲ Normalmente eu .... reuniões de manhã.
   Mas ontem .... de tarde.
   - ☐ a tive / tenho
   - ☐ b tenho / tive
   - ☐ c tenho / teve

3. ▲ No último domingo .... para você, sabe?
   ◆ Ah! Que pena! .... fora o dia inteiro.
   - ☐ a liguei / fiquei
   - ☐ b ligo / fico
   - ☐ c liguei / fico

4. ▲ Vocês já .... à Guatemala?
   ◆ Não. Infelizmente ainda não .... lá.
   - ☐ a esteve / estive
   - ☐ b foram / estivemos
   - ☐ c foi / esteve

5. ▲ Sílvia, como .... o seu dia?
   ◆ Muito bom. Não .... problemas.
   - ☐ a é / teve
   - ☐ b foi / teve
   - ☐ c foi / tive

6. ▲ Por que você .... atrasada ao trabalho ontem?
   ◆ Porque .... a tradução só às duas da manhã e por isso .... muito tarde.
   - ☐ a cheguei / terminou / acordei
   - ☐ b chegou / terminei / acordei
   - ☐ c chegou / terminou / acordou

7. ▲ Em geral, eu sempre .... calças jeans. É mais prático.
   ◆ Eu, não. Prefiro .... calças elegantes.
   - ☐ a visto / visto
   - ☐ b calço / calço
   - ☐ c visto / usar

8. ▲ Por que comprar um colar tão caro?
   ◆ Você .... razão. Os colares desta loja são .... caros.
   - ☐ a está / muito
   - ☐ b tem / muitos
   - ☐ c tem / muito

9. ▲ O Bar do Dino é muito chato. O Bar do Leo é muito .... interessante.
   ◆ Que nada! No Dino aparecem pessoas ....
   - ☐ a tão / mais
   - ☐ b tão / interessantíssimas
   - ☐ c mais / engraçadíssimas

10. ▲ Os preços da Casa Faria não são .... bons como os da Loja da Vila.
    ◆ Não acho. Os preços da Casa Faria são .... da cidade.
    - ☐ a tão / bons como
    - ☐ b tão / os melhores
    - ☐ c tanto / os piores

11. ▲ Que tal .... blusa laranja aqui?
    ◆ Não, prefiro .... azul ali.
    - ☐ a esta / aquele
    - ☐ b esta / aquela
    - ☐ c aquela / esta

12. ▲ Quando cozinhamos, o almoço demora umas duas horas para ficar ....
    ◆ Ah! Comigo é rapidinho, ... o almoço em meia hora.
    - ☐ a apronto / pronto
    - ☐ b pronto / apronto
    - ☐ c pronta / apronta

13. ▲ Geralmente eu leio o jornal .... televisão.
    ◆ Pois eu, enquanto janto, ... televisão.
    - ☐ a vendo / vejo
    - ☐ b vendo / vendo
    - ☐ c vejo / vendo

14. ▲ Puxa, como estou estressado e nervoso!
    ◆ Então .... menos e .... 8 horas todos os dias.
    - ☐ a fumam / durmam
    - ☐ b fume / durma
    - ☐ c fuma / durmo

15. ▲ Estou sempre tensa. O que eu .... fazer?
    ◆ Bem, ... ioga e acho que você .... beber menos café.
    - ☐ a posso / precisa de / tem
    - ☐ b devo / deve / tem
    - ☐ c devo / faça / deve

16. ▲ Marina não se sente ...., por isso foi embora.
    ◆ É, ela já se sentiu .... também na semana passada.
    - ☐ a bem / mal
    - ☐ b bom / mau
    - ☐ c ruim / bem

17. ▲ O escritório onde você trabalha é ....?
    ◆ Olha, estou contente e a chefe é muito .... e simpática.
    - ☐ a bom / bem
    - ☐ b em / mal
    - ☐ c bom / boa

Ficha de avaliação   Esta ficha vai ajudar você a avaliar seus conhecimentos.

Na coluna avaliação, anote o símbolo de acordo com o resultado:

++ (muito bem)   + (bem)   ! (ainda é difícil para mim)

Se necessário, você pode revisar o conteúdo das lições. Os números na última coluna indicam a lição.

Ouvir	Ava-liação	Lição
Eu entendo conversas simples sobre acontecimentos passados, por exemplo, quando alguém fala sobre o que aconteceu no seu fim de semana.		10
Eu entendo dados biográficos.		10
Eu entendo descrições e avaliações de peças de roupa e acessórios.		11
Eu entendo elogios, por exemplo, quando alguém elogia peças de roupa e acessórios.		11
Eu entendo conversas simples sobre o estado de saúde, por exemplo, quando alguém diz que está sentindo dores.		12
Eu entendo recomendações para problemas de saúde.		12
Eu entendo conversas simples sobre hábitos alimentares.		12

Ler		
Eu entendo anotações sobre rotinas cotidianas, por exemplo, num diário.		10
Eu entendo biografias simples, por exemplo, de um músico ou de uma bailarina.		10
Eu entendo informações essenciais de textos simples de jornal ou revista sobre, por exemplo, uma rua comercial ou alimentação saudável.		11, 12

Falar		
Participar de conversas		
Eu sei descrever e avaliar peças de roupa.		11
Eu consigo manter um diálogo de compras numa loja de sapatos ou de roupa e, por exemplo, obter informações sobre preço, qualidade, tamanho.		11
Eu sei fazer elogios a alguém, por exemplo, elogiar sua roupa ou seus acessórios.		11
Numa conversa sobre problemas de saúde, eu sei, por exemplo, dizer o que me dói e dar conselhos.		12
Numa conversa simples sobre alimentação, eu sei falar sobre meus hábitos alimentares ou os hábitos alimentares no meu país.		12
Fazer breves relatos		
Eu sei contar o que fiz no fim de semana passado.		10
Eu sei narrar acontecimentos importantes da minha vida ou da vida de pessoas conhecidas.		10

Escrever		
Eu sei escrever um texto pequeno sobre o que fiz num dia ou sobre algo que aconteceu no fim de semana.		10
Eu sei escrever uma biografia resumida contendo os aspectos mais importantes da minha vida.		10
Eu sei descrever e comparar diferentes pessoas.		11
Eu sei escrever conselhos a uma pessoa com problemas de saúde.		12
Eu sei fazer um plano de alimentação especificando o que se deve comer no café da manhã, no almoço e no jantar.		12

Recordar é viver!

A Antigamente era diferente.

1 Complete as frases com verbos no imperfeito e escreva-os nas palavras cruzadas. Qual é a palavra em "m"?

a A gente _nadava_ muito no rio.

b Nós _____ fora de casa horas e horas.

c Eu não _____ viver na fazenda.

d Quando minha mãe tinha uns 15 anos, ela _____ muito os discos de Elvis Presley.

e Antigamente a gente _____ peixes grandes no rio da fazenda.

f Antes, quando não havia televisão, todo mundo _____ mais.

g Nos meus tempos de estudante eu me _____ muito. Ia a bares e discotecas quase todas as noites.

h Quando era criança, _____ um cachorro e um papagaio.

i Incrível, há 30 anos só _____ máquina de escrever. Não havia computadores.

j Quando éramos crianças, nós _____ de índio e cowboy.

k A gente _____ as férias na fazenda. Era muito bom.

l Quando éramos jovens, aos domingos, _____ até a uma da tarde.

m _____

(palavras cruzadas: m; a N A D A V A; b; c; d; e; f; g; h; i; j; k; l)

2 Como era antigamente? Complete.

a Hoje ouvimos CDs. — _Antes ouvíamos discos._

b Hoje há computadores. — _Antigamente_ _____

c Agora escrevemos e-mails. — _____

d Agora existem celulares. — _____

e Hoje lemos notícias também na internet. — _____

f Hoje vamos ao Brasil de avião.

3 Complete com as formas verbais adequadas.

▲ Tia Rita, como _era_ a sua rua antigamente? (ser)

◆ Olha, Marcinha, _____ totalmente diferente. _____ muito dela. (ser; gostar)

▲ Por que é que você _____ da rua? (gostar)

◆ _____ uma rua cheia de vida. Naquele tempo _____ comunicação entre as pessoas. (ser; haver). De noitinha _púnhamos_ as cadeiras em frente das portas das nossas casas e _____ horas e horas. (pôr; conversar)

▲ Todos os dias?

86

◆ Ah, sim. Alguém sempre .... histórias interessantes e nós .... muito também. (contar; rir)

▲ E o que as crianças ....? (fazer)

◆ As crianças ...., ... futebol ou .... nossas conversas. (brincar; jogar; escutar)

▲ Acho que hoje, nem nas cidades pequenas, isso já não .... mais, né? (existir)

◆ Pois é. É a televisão, minha filha. Agora todo o mundo .... dentro de casa vendo as novelas. (ficar)

4a Ouça os comentários 1–3 e relacione-os às fotos. Que foto está sem comentário?

a ☐   b ☐   c ☐   d ☐

4b Ouça mais uma vez e assinale a alternativa correta.

a Minha mãe lia histórias para nós   ☐ todos os dias.
                                         ☐ nos fins de semana.

b Às vezes, minha mãe   ☐ ia ao teatro conosco.
                                         ☐ brincava de teatro conosco.

c Minha avó era uma pessoa   ☐ muito legal.
                                         ☐ muito tradicional.

d Minha avó era velha   ☐ e não podia subir na árvore comigo.
                                         ☐ mas subia na árvore comigo.

e Há 15 anos atrás   ☐ eu dava aulas de música para crianças.
                                         ☐ eu dava aulas de capoeira para crianças.

f As crianças adoravam as aulas   ☐ mas queriam ir embora logo para jogar videogame.
                                         ☐ e nunca queriam ir embora.

5 Escreva um pequeno texto para a foto sem comentário em 4a.

6 O que mudou em sua vida? Escreva.

quando era criança ◆ antes ◆ antigamente ◆ quando era jovem ◆ agora ◆ hoje

a aparência física: *Antes tinha cabelos* . *Agora meus cabelos são*

b moradia: ....

c trabalho: ....

d hobbies: ....

(B) Já te contei o que aconteceu?

7 Complete as frases. Preste atenção nas terminações.

a rápido/-a ◆ rapidamente
Depois de um longo minuto, ele se levantou e *rapidamente* saiu do restaurante.
Ela se levantou. Com passos ...., dirigiu-se à porta.

b calmo/-a ◆ calmamente
A avenida é ...., tem pouco trânsito.
Podemos atravessar a avenida .... sem correr.

c elegante ◆ elegantemente
Ela vai trabalhar sempre vestida ....
Muitos sapatos são ...., mas desconfortáveis.

d feliz ◆ felizmente
A história teve um fim .... Eles se casaram e viveram ....
.... a história terminou bem.

e lento/-a ◆ lentamente
Tenho um computador velho e muito ....
Depois do enfarte ele trabalha ...., sem estresse.

8 Complete com os tempos verbais adequados.

	acontecimento/ação:	descrição do cenário:
a	No sábado passado, nós *visitamos* (visitar) Petrópolis.	O tempo *estava* (estar) muito bonito. .... (ter) sol, ... (estar) quente, mas agradável.
b	Na semana passada, Paula .... (ir) ao centro para fazer compras.	.... (haver) muita gente nas ruas. As lojas .... (estar) cheiíssimas.
c	Quando Joana .... (querer) pegar a chave, ela .... (ver) que	a bolsa .... (estar) aberta. A chave e a carteira de dinheiro não .... (estar) lá.
d	Passamos as últimas férias em Florianópolis.	O nosso hotel .... (ficar) em frente da praia. Como .... (ser) inverno, ... (estar) um pouco frio, por isso .... (haver) pouca gente.

9 Que formas verbais combinam com as expressões sublinhadas? Complete.

a Antigamente meu avô ___punha___ gravata <u>todos os dias</u> para ir trabalhar. (pôr)
b Quando ___ia___ ao Rio de Janeiro ele <u>sempre</u> _____ no mesmo hotel. (ir; ficar)
c Eles _____ <u>enquanto</u> _____ café. (conversar; tomar)
d Ela tomou o café da manhã. <u>Em seguida</u> _____ e _____ rapidamente.
   (levantar-se; sair)
e Mara ___andava___ calmamente na rua. <u>De repente</u> um ladrão _____ a sua bolsa. (pegar)
f Todos olharam para a porta. <u>Então</u> ela _____, _____ para o seu lugar e
   _____ . (entrar; ir; sentar-se)

10 Perfeito ou imperfeito ? Complete com os tempos verbais adequados.

a Eu ___estava estudando___ no meu quarto, quando meu pai ___entrou___ . (estudar; entrar)
b Eu _____ minha amiga quando ___estava___ compras. (encontrar; fazer)
c Eu _____ quando a água _____ . (tomar banho; acabar)
d Quando _____ a chover, Daniel _____ no jardim.
   (começar; trabalhar)
e Ele ___via___ televisão enquanto ___comia___ . (ver; comer)
f Paula _____ enquanto _____ . (andar; telefonar)
g Ela _____ o rádio enquanto _____ . (escutar; fazer o almoço)
h Eles _____ enquanto _____ café. (conversar; tomar)

11 Leia e descubra quem é o ladrão.

Ontem de manhã, no centro da cidade, um ônibus bateu num carro. Aproveitando a confusão, um ladrão entrou numa loja e roubou um lap top. Havia sete pessoas suspeitas. Elas estavam perto da loja. O investigador de polícia fez duas perguntas a cada um deles, separadamente: "O que é que você estava fazendo quando aconteceu o acidente?" e "O que é que XY estava fazendo quando aconteceu o acidente?"

Leia o que o investigador escreveu. Verifique o álibi das pessoas. O ladrão disse duas mentiras.
O álibi dele não é confirmado. Quem é o ladrão?

Mário:	Eu	estava comendo	no bar.
	Fernanda	estava passeando	no parque.
José:	Eu	estava conversando com um amigo	no mercado.
	Edna e João	estavam lendo	no centro de informação.
Antônio:	Eu	estava fazendo compras	no mercado.
	Oscar	estava conversando com um amigo	no mercado.
Fernanda:	Eu	estava passeando	no parque.
	Oscar	estava esperando o chefe	no estacionamento.
Edna e João:	Nós	estávamos lendo	no centro de informação.
	José	estava conversando com um amigo	no mercado.
Oscar:	Eu	estava esperando o chefe	no estacionamento.
	Mário	estava comendo	no bar.

12a Leia um trecho do diário da Daniela.

> 7 de março
>
> No sábado meus amigos e eu fomos a Parati. Chegamos lá pelas 10 horas. Andamos um pouco pela cidade.
> a ....
> .... Em seguida, fomos até o porto e alugamos um barco para fazer um passeio pelas ilhas.
> b .... Paramos em várias ilhas. c ....
> Nadamos e mergulhamos bastante. d ....
> Numa das ilhas almoçamos. Comemos peixe e camarão com mandioca frita. e ....
> .... Depois do
> almoço, descansamos, batemos papo, tomamos sol e nadamos de novo. De tardezinha voltamos. Quando está-
> vamos chegando perto de Parati, o céu começou a ficar escuro. De repente começou a chover e o mar ficou
> agitado. Mas, graças a Deus, já estávamos perto da cidade.

12b Responda às perguntas. Depois complete o texto em 12a com as respostas.

a Como estavam as ruas da cidade nessa hora? Vazias? Cheias? Com muitos turistas?

....

b Como era o barco?

....

c Como estava o tempo?

....

d Como estava a água do mar?

....

e Como era o restaurante? E a comida?

....

12c Ouça o diálogo com a Daniela e confira suas soluções dos exercícios 12a, e 12b.

C Marcos importantes

13 Leia os três depoimentos da atividade 14b no Livro de Curso, pág. 117 e responda às perguntas.

a O que aconteceu em 31 de março de 1964?

....

b Quando o pai de Abílio foi para a Suécia? Por quê?

....

c Em que cores os jovens pintavam o rosto?

....

d Contra quem e por que os jovens faziam passeatas naquele ano?

....

e Por que a copa de 1958 foi importante para o futebol brasileiro?

....

f Para Lucinda o que significou a copa de 1958?

....

g Quantos anos o Pelé tinha?

....

14 Complete.

revelação ◆ de luto ◆ passeatas ◆ o poder ◆ em perigo ◆ a pena

a copa ◆ torcer ◆ ganhar ◆ merecer

a Em 1964 os militares tomaram ...o poder... .
b Meu pai atuava no sindicato e estava ....
c Os jovens faziam .... nas ruas contra o Collor.
d Valeu .... lutar pela democracia.
e Usávamos a cor preta em sinal ....
f Em 1958, o Brasil ganhou .... pela primeira vez.
g Pelé tinha apenas 17 anos e foi a grande ....
h A seleção brasileira daquele ano .... o título.
i Lucinda sempre .... pelo Brasil nas copas.
j Parece que os jogadores de agora só pensam em .... dinheiro.

15 Leia as afirmações a-g. Depois leia o texto e assinale (V) para a alternativa correta e (F) para a falsa.

"Butique de pães Marisa"

Quando tinha 30 anos trabalhava num banco, mas não me sentia feliz. Meu sonho era abrir uma loja de pães. Aí, quando minha filha nasceu, abri a minha padaria. Não queria uma padaria comum. Queria uma padaria pequena, com pães especiais, como uma loja de roupas finas, originais. Como uma butique. Por isso o nome da loja é "Marisa – Butique de pães" Levava minha filha comigo. Enquanto ela dormia eu fazia os pães. Graças a Deus, ela era tranquila. Eu passava o dia lá na padaria. Experimentava receitas novas e inventava outras também. Sempre conversava com os fregueses. Queria saber o que eles gostavam. No começo vendia três tipos de pães. Agora são seis tipos. Todos vendem bem. Uso só produtos orgânicos. As pessoas vêm, podem experimentar o pão com vinho, com queijo, azeitonas. Sempre compram alguma coisa. Tenho muitos fregueses. Antes tinha só um empregado, fazia quase tudo sozinha. Mas hoje tenho quatro empregados. Para mim valeu a pena sair do banco.

	V	F
a Marisa trabalhava no banco e era feliz.	☐	☐
b Ela realizou o sonho de abrir uma padaria.	☐	☐
c Deixava a filha em casa com uma empregada.	☐	☐
d Ela levava a filha para a padaria.	☐	☐
e Antes não tinha empregados e agora tem um.	☐	☐
f No começo vendia seis tipos de pães.	☐	☐
g Sua butique de pães é como uma loja de roupas finas, originais.	☐	☐

Eu já...

	👍	✋	👎	LC
• sei falar sobre hábitos no passado.	☐	☐	☐	2–7
• sei descrever estados, pessoas e objetos no passado.	☐	☐	☐	8–13
• sei narrar acontecimentos passados.	☐	☐	☐	8–13
• sei identificar, numa narrativa, o enredo e os elementos em pano de fundo.	☐	☐	☐	8–13
• sei estruturar uma narrativa simples.	☐	☐	☐	9c, 11
• consigo captar as ideias principais de artigos simples de jornal ou revista.	☐	☐	☐	14

Lar doce lar

Encontrei um apartamento muito bom.

1 Observe a planta do apartamento. Como você distribuiria os cômodos?
Escreva os números dos cômodos nos quadrados.

☐ a área de serviço

☐ o dormitório grande

☐ a sala de jantar

☐ o banheiro

☐ o armário embutido

☐ a cozinha

☐ a sala de estar

☐ o quarto da empregada

☐ o dormitório pequeno

☐ a suíte

☐ o lavabo

2 Risque a palavra que não pertence à sequência.

a sala ◆ cozinha ◆ banheiro ◆ quarto ◆ jardim

b sobrado ◆ casa térrea ◆ armário ◆ quitinete ◆ cobertura

c bairro ◆ imobiliária ◆ zona ◆ centro ◆ região

d dormitório ◆ porta ◆ banheiro ◆ sala de jantar ◆ corredor

e área de serviço ◆ dependência de empregada ◆ cozinha ◆ elevador de serviço ◆ sala de estar

3a Leia os anúncios. Ouça, então, o telefonema. De que anúncio se trata? Assinale.

Aluga-se casa.
130 m², 3 dorms. (1 suíte), armá-rios embutidos, 1 banheiro, lavabo, sala de estar c/ terraço, sala de jantar, copa-cozinha, área de serviço, garagem p/ 2 carros.
Braga Imóveis

a ☐

Flamengo – temporada verão.
Quitinete aluga-se. 36 m², sala/ cozinha, dormitório, banheiro.
Imob. Delco

b ☐

Aluga-se casa.
jardim, 2 dorm., sala de estar e de jantar, 1 banh., lavabo, coz., área de serviço, quarto/wc de empregada, garagem.
Tel. 021 3432 6776, falar c/ Sertório.

c ☐

3b Você e dois amigos querem passar um mês no Rio de Janeiro e alugar um apartamento pequeno.
Assinale as frases/perguntas que são importantes para seu telefonema.

a Estou telefonando por causa do anúncio ... ☐

b É perto do metrô? ☐

c É mobiliado? ☐

d Tem quantas camas? ☐

e Em que andar fica? ☐

f Tem quantos banheiros? ☐

g Tem varanda? ☐

h Quantos metros quadrados são? ☐

i Quanto custa? Qual é o preço do aluguel? ☐

j Queria alugar por um mês. ☐

k Podemos ver o apartamento? ☐

l Obrigado e até logo. ☐

3c Escreva seu telefonema para a *Imobiliária Delco* (anúncio b do exercício3a).

....

....

....

....

4 Complete as frases.

barulhento/-a ◆ ensolarado/-a ◆ residencial ◆ comercial ◆ arborizado/-a

a Na minha cozinha entra sol de manhã.
De manhã, minha cozinha é *ensolarada* .

b Na minha rua há muitas árvores.
A minha rua é ....

c Na zona onde eu moro tem muito barulho
por causa dos bares.
A zona onde eu moro é ....
Mas, sabe, isto não me incomoda muito.

d No meu bairro só tem residências.
O meu bairro é puramente ....
Sabe que não é prático?

e No bairro onde eu morava antes tinha comércio
também.
O bairro onde eu morava antes era
.... Para mim era muito prático.

5 Complete as frases.

algum ◆ alguma ◆ alguns ◆ algumas ◆ nenhum ◆ nenhuma ◆ alguém ◆ ninguém

a ▲ Há *algum* supermercado aqui perto?
◆ Não. Não há ....

b ▲ Há bares simpáticos onde você mora?
◆ Há, sim. .... bares são
originais e há também ....
que são chiques.

c ▲ .... já se interessou pelo
apartamento?
◆ Até agora ....

d ▲ Onde você mora é zona residencial?

◆ Não, é mista. Há .... lojas de
roupas, ... restaurantes pequenos,
mas não há .... padaria.

e ▲ Você levou todos os móveis para a casa nova?
◆ Não, só .... , só os novos.

f ▲ Já encontrou .... para trabalhar
na sua casa?
◆ Não, estou procurando ainda. Você tem
.... empregada boa para
recomendar?
▲ Não, no momento não tenho ....
Está difícil achar uma empregada boa.

6 Complete as frases.

alguém ◆ ninguém ◆ algo ◆ nada

a ▲ D. Paula tem *alguém* que quer falar
com a senhora.
◆ Quem é?
▲ É .... da imobiliária.

b ▲ Você conhece .... semelhante
ao edifício Copan na sua cidade?

◆ No lugar onde eu moro não conheço
.... , mas em Stuttgart há
.... semelhante.

c ▲ Você já falou com .... do banco?
◆ Não, eu telefonei, mas ....
atendeu.

7 Transforme as frases afirmativas em negativas.

a Há um bar. Não há nenhum bar.
b Vejo uma pessoa.
c Vou comer alguma coisa.
d Quero beber alguma coisa.
e Vi alguém.
f Ele falou alguma coisa.

B A mudança

8a Qual é o nome dos objetos?

a   o espelho   e
b   f
c   g
d

a   b   c   d

e   f   g

8b Quantos e quais dos objetos acima você tem em sua casa/apartamento? Onde se encontram?

Eu tenho 14 cadeiras. Seis estão na sala de jantar. Duas na cozinha, duas no corredor e três no meu escritório. Ah, uma está no quarto de dormir.

9 Relacione as definições aos objetos. Escreva a definição que falta.

1 a estante   **2** a mesa   **3** o fogão   **4** a poltrona   **5** a geladeira   **6** a cama   **7** o sofá   **8** o armário

a Serve para guardar e conservar os alimentos. É importante principalmente no verão. ☐
b É um móvel que serve para guardar os livros. ☐
c Você precisa dele para cozinhar. ☐
d Um móvel que serve para se sentar. Geralmente para duas ou mais pessoas. ☐
e É um móvel que serve para guardar coisas, como roupas, sapatos. ☐
f Geralmente fica no dormitório e usamos para dormir. ☐
g Serve para sentar-se. É individual. Geralmente fica na sala de estar. ☐
h .... ☐

10 No meu escritório.
Complete com as locuções prepositivas.

em cima de (do/da) • embaixo de (do/da) • ao lado de (do/da) • em frente de (do/da) • atrás de (do/da) • em (no/na) • dentro de (do/da) • entre

a O computador está ___em cima da___ escrivaninha.
b O abajur está _____ computador.
c O dicionário está _____ telefone.
d O lápis está _____ o dicionário e o abajur.
e A cadeira está _____ mesa.
f Um celular e dinheiro estão _____ gaveta.
g Muitos papéis estão jogados _____ mesa, _____ chão.

11 **Durante a mudança: Onde colocar os móveis/objetos? Complete com as formas de *pôr*.**

pôr • ponha(m) • ponho • põe • pomos • põem

a Ainda bem que já estamos terminando.
Onde eu __ponho__ a cadeira de balanço?
_____ na varanda, por favor.

b E onde nós podemos _____ as cadeiras?
As cadeiras vocês _____ na sala de jantar.

c Onde nós _____ a televisão e o computador?
Olha, _____ no escritório, em cima da mesa.

pus • pôs • pusemos • puseram • trouxe • trouxemos • trouxeram

d Onde você __pôs__ os livros?
Eu _____ na estante do escritório.
e E onde Marcos _____ os CDs?
Os CDs? Ele _____ na sala.
f Você sabe se nós _____ a rede?
Claro que _____ . Ela já está na varanda.

g Onde estão as roupas?
Olha, os homens da mudança já _____ no armário de roupas.
h Você _____ os meus discos antigos de rock ou jogou fora?
Eu _____ , sim. Estão por aí.

12a Complete as frases.

a Eu pus **o fogão** na cozinha.
Eu __o__ pus ao lado da geladeira.

b Nós compramos **a cama** ontem.
Nós _____ compramos na Casa Garcia.

c Você comprou **algumas flores** para pôr na sala?
Sim, eu _____ comprei hoje de manhã.

d Preciso arrumar **a minha sala**.
No fim de semana vou __arrumá-la__ .

e Onde posso pôr **o computador**?
Você pode p_____ em cima da mesa.

f Quando **seus amigos** chegam?
Eles estão chegando. O Paulo foi receb_____ no aeroporto.

g Por que você não compra **plantas** para a varanda? Elas são bonitas.
É, acho que vou compr_____ .

12b O que combina? Relacione e complete as frases com os pronomes.

a Que vaso bonito!

b Suas cortinas são muito bonitas.

c E então, já arrumaram as coisas na casa nova?

d E então, Paula, já fez a mudança?

e Cássia, tudo pronto para abrir sua loja de decoração?

f Você vai vender o aparelho de som?

g Quando é que vocês vão convidar seus amigos para ver a casa nova?

1 Obrigada. Eu .... trouxe porque ainda estão novas.

2 É. Quero vend............... porque ele é muito grande.

3 Obrigada. Eu ...o... comprei para pôr rosas.

4 Falta ainda o dinheiro. Só daqui a três anos posso abr...............

5 No próximo domingo vamos convid............... para um churrasco.

6 Até o fim da semana vamos acabar de arrum...............

7 Ainda não, mas acho que até o fim do mês já posso faz...............

13 A Ana e o Celso descrevem como moram. Ouça e assinale as afirmações corretas.

	Ana	Celso
a Prefere decoração original, com móveis velhos.	☐	☐
b Prefere decoração moderna, funcional.	☐	☐
c O importante é se sentir bem, não importa a decoração.	☐	☐
d O importante é o conforto e poder relaxar.	☐	☐
e O lugar preferido é a cozinha.	☐	☐
f O lugar preferido é a sala de estar.	☐	☐

14 Descreva como você mora: Como é sua casa/apartamento? O que é importante para você? Do que você gosta em sua casa/apartamento? Qual é o seu lugar predileto?

....

....

....

....

C Morar em São Paulo.

15 Leia as afirmações 1–5. Depois leia as entrevistas da atividade 17 no Livro de Curso, pág. 126 e assinale as alternativas corretas.

1 Regina descreve no seu livro "Arca sem Noé", de maneira fictícia e bem humorada,

a os problemas do bloco B do Copan. ☐

b os contrastes que existem em São Paulo e no Copan. ☐

2 Carmina está contente morando no Copan porque

a os funcionários a ajudam sempre. ☐

b lá ela pode usar a pista de corrida no terraço. ☐

3 Edson critica o Copan porque
   a o contato entre vizinhos é muito intenso e causa brigas. ☐
   b no bloco B, há uma concentração de pessoas que cometem baixarias, como por exemplo,
     jogar lixo pela janela. Por isso ele diz que este é o bloco da baixaria. ☐

4 Elaine acha que no centro existem muitos problemas
   a mas mesmo assim gosta de morar lá. ☐
   b por isso gostaria de se mudar. ☐

5 Para Nina morar no Copan
   a é um problema, porque nunca trabalhou no centro. ☐
   b significa realizar o sonho da casa própria. ☐

16 Complete as frases.

a (2x) • com • por (2x) • para • por causa da (2x) • perto do

a Morar no centro é bom porque o acesso ...a.... cinemas, teatros e exposições é mais fácil.
b As áreas comuns, galeria e terraço, são acessíveis _____ todos.
c Elaine, deficiente física, gosta de morar nesse prédio _____ infra-estrutura e da agitação.
d Não queria morar no centro de jeito nenhum _____ violência.
e Já estou acostumada _____ as coisas que acontecem aqui.
f O prédio _____ fora é muito bonito, mas _____ dentro é feio.
g _____ mim o Copan é bom porque fica _____ meu trabalho.

17 Complete as frases com os verbos nas formas adequadas.

ter (2x) • fazer • realizar • entrar • recuperar • tornar • jogar

a As casas são tão caras que ainda não _realizei_ o meu sonho da casa própria.
b É um apartamento claro, _____ luz o dia inteiro.
c Meu apartamento se _____ um ponto de encontro. Meu amigos sempre vêm aqui.
d O centro geralmente _____ parte da história de uma cidade.
e O Copan _____ uma infra-estrutura muito boa para deficientes físicos, na opinião da Elaine.
f Onde posso _____ o lixo?
g _____ amizade com muitos funcionários do prédio.
h Carmina _____ a alegria de viver depois que foi morar no Copan.

Eu já...

	👍	✊	👎	LC
• sei denominar os cômodos de uma casa.	☐	☐	☐	1–3
• leio e entendo anúncios imobiliários.	☐	☐	☐	4–5
• sei descrever uma casa ou um apartamento.	☐	☐	☐	6–7
• sei denominar móveis e outros objetos de decoração.	☐	☐	☐	8–9
• sei localizar objetos num cômodo.	☐	☐	☐	10–11
• sei falar sobre os lugares prediletos no tempo de infância.	☐	☐	☐	12–14
• consigo entender os pontos mais importantes numa entrevista relacionada ao tema casa/apartamento.	☐	☐	☐	15–18
• sei falar sobre vantagens e desvantagens do local de moradia.	☐	☐	☐	19

O trabalho nosso de cada dia!

A Procurando emprego.

1 Escreva a profissão que corresponde à descrição.

a Pessoa que cuida do lazer das crianças em local de férias. _monitor/-a_

b Pessoa formada em ciências contábeis.

c Pessoa que está fazendo sua tese de doutoramento.

d Pessoa que faz serviços de rua, como ir às repartições, ao banco.

e Pessoa que faz entregas, em veículo típico.

2 O que combina? Relacione.

a inglês
b faixa
c profissional
d oferta
e bons
f bom relacionamento
g salário
h falante
i boa
j admite(m)-se

1 experiência de ensino
2 conhecimentos de balanço
3 a combinar
4 interpessoal
5 fluente
6 nativo
7 recepcionistas
8 salarial
9 com experiência
10 de emprego

3 Leia os textos da atividade 2 no Livro de Curso, pág. 128 e responda às perguntas.

a Por que Aldo está interessado em arrumar um emprego?

b Por que o anúncio de office boy pode ser interessante para Marcos?

c Como Christoph quer melhorar a fluência dele?

d Por que Maria Luísa se interessa pelo emprego em Fortaleza?

e Por que Maria Luísa se interessa por um emprego fora de São Paulo?

4 Na procura de emprego, ordem de procedimento é essencial. Organize os passos numa sequência lógica. Depois escreva o infinitivo dos verbos.

☐ Prepare seu currículo de vida.

☐ Escreva a carta de apresentação.

☐ Encaminhe seu pedido de demissão.

☐ Informe-se sobre como escrever um currículo e uma carta de apresentação.

☐ Pense nas possíveis perguntas do entrevistador.

1 Pense no tipo de trabalho que gostaria de fazer. _pensar_

☐ Procure informações sobre a nova firma.

☐ Ensaie a entrevista com um amigo.

☐ Pesquise os anúncios de vagas em sites de empregos, nos jornais e em revistas especializadas.

☐ Escolha uma roupa adequada para vestir no dia da entrevista.

☐ Não chegue atrasado no dia da entrevista.

5 Escolha os cinco passos mais importantes do exercício 4 e escreva-os no futuro do pretérito (condicional).

1 Primeiro eu pensaria no tipo de trabalho que gostaria de fazer.
2 Depois eu
3 Em seguida
4 Então
5 Logo depois
6

6a Carta de uma candidata ao emprego anunciado no jornal: identifique na carta as passagens que correspondem aos elementos 1–5.

1 Saudação   2 Local e data   3 Destinatário   4 Despedida/Fecho   5 Assinatura

2 São Paulo, 25 de abril de 2009

Borges Lagoa ☐
Departamento de Pessoal
Rua Eugênia, 1840
CEP: 04207-002 – São Paulo – SP

Prezado(a) Senhor(a), ☐
    b que sua empresa está selecionando candidatos para a posição de recepcionista.
    e tenho bons conhecimentos de inglês. No Senac fiz o curso de Recepção e Atendimento Telefônico nas Empresas.
    no escritório de advocacia Martins e Cunha. Estou, agora, em busca de novas experiências profissionais.
Visando à posição de recepcionista em sua empresa, ... Coloco-me à disposição ...., quando poderei fornecer mais informações.

Atenciosamente, ☐

Eliana Moreira ☐

A Borges Lagoa, operando no segmento de call center, está selecionando recepcionistas para atuar em São Paulo, Rio de Janeiro, Porto Alegre e Natal.
Exige-se:
– 2º grau completo
– Conhecimento em Informática
– Inglês desejável
– Boa comunicação verbal e escrita
– Experiência em atendimento ao público em geral
– Bom relacionamento interpessoal, iniciativa
– Rua Eugênia, 1840 – CEP 04207-002, departamento de pessoal.

6b Releia a carta do exercício 6a e complete as lacunas com as frases a–e.

a Há dois anos trabalho como recepcionista
b Li no anúncio publicado na Folha de S.Paulo
c envio anexo meu currículo
d para uma entrevista pessoal
e Concluí o segundo ciclo há um ano

6c Complete o currículo de Eliana com as informações da carta.

CURRICULUM VITAE

Dados Pessoais ....

11/06/1988
Rua Jandira, 343
CEP 08511-000 – São Paulo – SP
Tel. 011-3615-8001

Objetivo ....

Escolaridade Escola Municipal Jaguaré:

....

Senac: ....

Experiência Profissional ....

....

Desde 01/03/.......................................

7 Complete as frases de acordo com as características descritas.

a Uma pessoa que toma iniciativa para solucionar problemas, *é ativa.*.........................

b Uma pessoa que sempre tem muitas ideias, ...

c Uma pessoa que pratica esporte, ...

d Uma pessoa que se adapta facilmente a situações diferentes, ...

e Uma pessoa que tem muita experiência numa área de trabalho, ...

B Como é o seu trabalho?

8 As ações acabaram de ser concluídas. Complete as respostas com as formas de *acabar de.*

a ◆ Por favor, queria falar com o Sr. Silva.
   ▲ Sinto muito, ele não está. Ele *acabou*............ *de*........ sair.

b ◆ A carta de apresentação já está pronta?
   ▲ Sim, a secretária .... escrevê-la.

c ◆ Você telefonou para a firma para marcar a entrevista?
   ▲ Já. .... telefonar.

d ◆ Então, já podemos começar a trabalhar?
   ▲ Ainda não. Os técnicos ainda não .... consertar os computadores.

e ◆ Quando vocês começaram a trabalhar como cozinheiras do "Dona Benta"?
   ▲ Logo que .... nos formar no curso de gastronomia do Senac.

9 Relacione as frases aos minidiálogos.

a Ainda não comecei a trabalhar.   d Então, resolvi sair.
b Eu desisti de ser cabelereira.   e Por isso quero continuar trabalhando lá.
c Ela nem começou a trabalhar.   f E continuo aprendendo até hoje.

1 ◆ E então, Vera, você está gostando do trabalho no hotel-fazenda?

   ▲ Fiz a entrevista, mas ainda não me chamaram. `[a]`

2 ◆ Você reclama tanto, então porque não deixa esse emprego?

   ▲ É assim: Reclamo, mas gosto. Tenho tarefas de responsabilidade. `[ ]`

3 ◆ É verdade que você, como cozinheiro, tem que aprender a vida toda?

   ▲ Sim, é verdade. Bem, em toda profissão, não é? Sou cozinheiro há 20 anos. `[ ]`

4 ◆ O que aconteceu? Você não trabalha mais no Hospital Municipal?

   ▲ Ah, sabe as condições de trabalho eram péssimas. `[ ]`

5 ◆ E então, a sua filha está gostando do novo emprego?

   ▲ Olha, ela teve informações de que a empresa não era séria. `[ ]`

6 ◆ Mas, como? Você não quer mais ser cabeleireira?

   ▲ Não. Depois do estágio vi que não tenho habilidade manual. `[ ]`

10a Um ponto definido no tempo ou um período de tempo? Complete com *desde, há* ou *faz.*

a ◆ Posso falar com o chefe da seção?

   ▲ Ele está de férias _há/faz_ uma semana e só volta em três semanas.

b ◆ Há quanto tempo Dona Magali não vem trabalhar?

   ▲ _____ segunda-feira. Ela está doente.

c ◆ Nossa! Já são 2 horas! Estou trabalhando _____ as 8. Vamos comer alguma coisa?

   ▲ Que pena, não estou com fome. Almocei _____ meia hora.

d ◆ Há quanto tempo o candidato está esperando?

   ▲ Está esperando _____ uma hora. Está aqui _____ as 9 horas.

e ◆ Desde quando você trabalha nesta empresa?

   ▲ Trabalho aqui _____ mais de 7 anos, _____ o ano de 2001.

10b *Há* ou *faz?* Complete.

a Faz quanto tempo *que* você trabalha como motorista?

   Faz mais de 10 anos *que* trabalho nessa profissão.

   _Há_ mais de 10 anos (que) trabalho nessa profissão.

b Vocês já se conheciam antes?

   _____ uns 15 anos (que) nós nos conhecemos. Desde os tempos da faculdade.

   _____ uns 15 anos *que* nós nos conhecemos.

c Faz quanto tempo que você está procurando um emprego?

   _____ três meses (que) mando meus currículos e não recebo nenhuma resposta.

   _____ três meses *que* mando meus currículos e não recebo nenhuma resposta.

11 Que palavras combinam com *ter* e que palavras com *ser*?

responsabilidade ◆ gratificante ◆ habilidade manual ◆ inovador ◆ criativo ◆ motivação ◆ flexível
motivante ◆ poder de decisão ◆ cansativo ◆ condição física ◆ concentração ◆ desafiante

ter	ser
responsabilidade	gratificante

12 Ouça os diálogos 1–4. Sobre o que as pessoas conversam? Numere os assuntos segundo a sequência dos diálogos.

- ☐ emprego estável e seguro
- ☐ horário flexível
- ☐ trabalho em equipe
- ☐ chefe justo
- ☐ assumir responsabilidades
- ☐ bom salário
- ☐ chances de fazer carreira
- 1 ambiente de trabalho descontraído

13 Em folha separada, escreva um texto sobre seu trabalho: Qual é a sua profissão? O que é importante para você? Você está contente?

C Você mudaria de profissão?

14 *Para, por, pelo* ou *pela?* Complete.

a O médico atende uns 40 pacientes ...por... dia.
b No domingo passado falei com minha mãe .... telefone.
c Depois que me formei fui .... Brasília e lá morei 2 anos.
d A empresa comprou um carro novo .... R$ 60.000,00.
e De todos os candidatos, Ana Lúcia era a mais adequada .... o cargo.
f Vou passar .... firma .... entregar o currículo.
g .... amor à profissão, continuou trabalhando lá depois de aposentado.
h Trocou a profissão de psicóloga .... de artista.
i Ela optou .... morar nesse bairro .... estar perto do trabalho.

15 Releia o texto da atividade 15 no Livro de Curso, pág. 133 e escreva o currículo de vida de João Roberto Pereira. Escreva em folha separada.

16a Leia o texto de Luís Walter Incao.

A cozinha como escola

Sou cozinheiro porque sou um gourmet. Aprendi a apreciar a boa comida com a minha mãe. Ela cozinhava divinamente. Com o tempo vi que esta seria a minha profissão.

Comecei a trabalhar aqui no Brasil, numa época em que não havia escolas de gastronomia. Percebi que aqui não poderia progredir. Então, em 1972, fui para os Estados Unidos e depois para a França. Lá frequentei cursos de cozinha e trabalhei em restaurantes. E foi na cozinha dos restaurantes que eu aprendi.

Voltei para o Brasil em 1976. Reencontrei na cidade vizinha uma antiga conhecida dos tempos de juventude. Nós começamos a namorar e no ano seguinte casamos. Meu filho nasceu.

Quando ele tinha dois anos, fomos para a Austrália. Lá fiz estágios e trabalhei em restaurantes de dois grandes hotéis. De novo a prática foi a melhor escola. Em 1984 recebi uma proposta para trabalhar no Sheraton do Rio.

Quando comecei a trabalhar no restaurante do Sheraton, tinha passado por muitas experiências ricas no ramo da gastronomia. Depois do Sheraton trabalhei no Rio Palace. Trabalhei também no Transamérica em São Paulo. Retornei ao Rio, e há mais de dez anos sou o chef-executivo do Copacabana Palace.

16b Complete as afirmações sobre Luís Walter Incao com os verbos no mais-que-perfeito e acrescente os termos que faltam.

a Quando Luís Walter foi para a Austrália já _tinha vivido e_ .... (viver e trabalhar) na _França._ ....

b Quando voltou da França .... (aprender) e .... (praticar) muito.

c Ele se casou com uma moça que .... (conhecer) quando era jovem.

d Quando foi para a Austrália, o filho já .... (nascer).

e Voltou para o Brasil porque .... (receber) uma boa .... para trabalhar ....

f Quando foi para o Transamérica em São Paulo já .... (trabalhar) ....

g Quando foi para o Copacabana Palace já .... (passar) por três restaurantes famosos.

17a Ouça uma conversa entre dois amigos. As afirmações são verdadeiras (V) ou falsas (F)? Assinale.

	V	F
a Como professor trabalhava muito, mas ganhava bem.	☐	☐
b Seu hobby era escrever sobre as viagens que fazia.	☐	☐
c Uma revista sobre viagens aceitou publicar seus artigos.	☐	☐
d Deixou de ser professor quando teve que viajar frequentemente.	☐	☐
e Já escreveu três livros sobre viagens.	☐	☐
f O seu próximo livro será sobre a China.	☐	☐
g As viagens agora para ele não são férias, mas trabalho.	☐	☐

17b Ouça mais uma vez e corrija as afirmações falsas.

....

....

....

....

18 Você gostaria de mudar de profissão? Qual é a razão? Que profissão você gostaria de exercer?

....

....

....

....

Eu já...

	👍	✋	👎	LC
• consigo entender textos relacionados ao emprego e à profissão (anúncios de emprego, currículos, cartas de apresentação, dados estatísticos).	☐	☐	☐	1–5, 13
• consigo entender uma entrevista de trabalho simples.	☐	☐	☐	6, 7
• sei expressar desejos.	☐	☐	☐	3
• sei falar sobre o que é mais importante para mim no trabalho.	☐	☐	☐	8
• sei falar sobre minha experiência profissional.	☐	☐	☐	9–12
• sei falar sobre vantagens e desvantagens de um emprego.	☐	☐	☐	9, 11
• sei fazer descrições simples de atividades profissionais.	☐	☐	☐	9, 11
• sei indicar o que é necessário para o exercício da minha profissão.	☐	☐	☐	11
• sei fazer avaliações simples de profissões.	☐	☐	☐	11–14
• sei falar sobre mudança de profissão e sobre etapas da vida profissional.	☐	☐	☐	15–20

Revisão V

Teste Leia e assinale a alternativa correta.

1. ▲ Como .... a sua rua antigamente?
   ◆ Muito bonita. .... muitas árvores e os prédios
     .... antigos.
     ☐ a foi / Tinha / foram
     ☐ b era / Tinha / eram
     ☐ c estava / Eram / eram

2. ▲ O inglês dela é ....
   ◆ É, sim. Ela fala inglês ....
     ☐ a fluentemente / fluente
     ☐ b fluente / fluentes
     ☐ c fluente / fluentemente

3. ▲ Você .... Maria no teatro ontem, não é?
   ◆ Sim, sim. Ela .... muito elegante. Seu vestido
     .... de seda.
     ☐ a viu / estava / era
     ☐ b viu / foi / foi
     ☐ c vi / era / estava

4. ▲ O que eles .... fazendo na festa ontem?
   ◆ Eles conversavam .... dançavam.
     ☐ a estavam / quando
     ☐ b estavam / enquanto
     ☐ c foram / em seguida

5. ▲ Um dia nós .... no parque, quando de repente
     policiais .... um homem.
   ◆ Nossa! E o que .... depois?
     ☐ a passeávamos / cercaram / aconteceu
     ☐ b passeávamos / cercam / acontecia
     ☐ c passeamos / cercaram / acontecia

6. ▲ Quando eu .... criança, meu pai ....
     histórias para nós antes de dormir.
   ◆ É mesmo? E ele .... isso todas as noites?
     ☐ a fui / lê / faz
     ☐ b era / lia / fazia
     ☐ c foi / lia / fazia

7. ▲ Você viu alguém passar por aqui?
   ◆ _____
     ☐ a Não. Não vi ninguém.
     ☐ b Não. Vi ninguém.
     ☐ c Não. Vi alguém.

8. ▲ Você tem .... livros de crianças para me
     emprestar?
   ◆ No momento não tenho ....
     ☐ a nenhum / algum
     ☐ b algum / nenhum
     ☐ c alguns / nenhum

9. ▲ Você quer beber ....?
   ◆ Obrigado. Não quero beber ....
     ☐ a alguma coisa / nada
     ☐ b alguma coisa / algo
     ☐ c nada / nada

10. ▲ Que bebidas vocês ....?
    ◆ .... cervejas e já estão em cima da mesa.
      ☐ a trouxemos / trouxemos
      ☐ b trouxeram / trouxe
      ☐ c trouxeram / trouxemos

11. ▲ Onde (eu) .... o sofá?
    ◆ .... aqui na sala de estar, embaixo da janela.
      ☐ a ponha / Ponha
      ☐ b ponho / Ponha
      ☐ c põe / Põe

12. ▲ Onde vocês .... os livros?
    ◆ .... na estante da sala.
      ☐ a pusemos / pomos
      ☐ b puseram / pôs
      ☐ c puseram / pusemos

13. ▲ Por que você não compra .... plantas para a
      varanda?
    ◆ É, seria bom pôr .... plantas verdes, não é?
      ☐ a alguma / alguns
      ☐ b algumas / uns
      ☐ c algumas / umas

14. ▲ O que você .... ao procurar um emprego?
    ◆ Bem, primeiro eu .... os anúncios de empregos
      na internet e nos jornais.
      ☐ a faria / pesquisa
      ☐ b pesquisaria / faria
      ☐ c faria / pesquisaria

15. ▲ A firma procura uma pessoa com .... na área
      de economia.
    ◆ Ah, é? Seria um bom emprego para o Ivan.
      Ele é muito .... nesta área.
      ☐ a experiência / experiente
      ☐ b experiente / experimentado
      ☐ c experimentado / experiente

16. ▲ Os últimos colegas .... chegar.
    ◆ Então já podemos .... trabalhar, não é?
      ☐ a acabaram de / começar
      ☐ b acabaram de / começar a
      ☐ c acabavam de / começar a

17. ▲ Você ainda .... trabalhando na Plantec?
    ◆ Continuo. .... ficar porque o ambiente agora
      está bom.
      ☐ a continuando / Resolvia
      ☐ b continuou / Resolveu
      ☐ c continua / Resolvi

18. ▲ Você foi ao teatro ontem?
    ◆ Fui, mas infelizmente .... atrasado e eles já
      .... começado.
      ☐ a cheguei / tiveram
      ☐ b chegou / têm
      ☐ c cheguei / tinham

Ficha de avaliação   Esta ficha vai ajudar você a avaliar seus conhecimentos.

Na coluna avaliação, anote o símbolo de acordo com o resultado:

++ (muito bem)   + (bem)   ! (ainda é difícil para mim)

Se necessário, você pode revisar o conteúdo das lições. Os números na última coluna indicam a lição.

	Ava-liação	Lição
Ouvir		
Eu entendo descrições simples sobre o modo de vida, hábitos, local de moradia em tempos passados.		13
Eu entendo relatos de acontecimentos passados.		13
Eu entendo descrições de uma casa e relatos sobre o lugar predileto na casa.		
Eu entendo quando alguém fala sobre vantagens e desvantagens de um espaço, um prédio ou local de moradia.		14
Eu entendo quando as pessoas expressam seus desejos em relação a trabalho e profissão.		15
Eu entendo depoimentos sobre experiências profissionais: primeiro emprego, carreira, profissão, mudança de profissão, etc.		15
Ler		
Eu entendo relatos de acontecimentos, por exemplo, num diário, num artigo de jornal ou revista.		13
Eu entendo anúncios de imóveis.		14
Eu entendo textos relacionados ao trabalho, por exemplo, anúncios de emprego, currículos de vida, cartas de apresentação.		15
Eu consigo captar informações importantes em artigos sobre habitação ou trabalho em jornais/revistas.		14, 15
Falar		
Participar de conversas		
Eu sei falar sobre meu modo de vida de antigamente: o que fazia, o lugar onde vivia, as pessoas que conhecia.		13
Eu sei descrever minha casa e apresentar seus aspectos positivos e negativos.		14
Eu consigo trocar ideias, por exemplo, sobre experiências profissionais: sonhos, mudança de profissão, vida profissional e outros aspectos importantes relacionados ao trabalho.		15
Fazer breves relatos		
Eu sei narrar experiências e acontecimentos passados.		13
Eu sei expor vantagens e desvantagens da minha casa e sei falar sobre o meu cômodo predileto.		14
Eu sei descrever e avaliar a minha atividade profissional.		15
Eu sei fazer um relato sobre o início da minha vida profissional e as exigências da minha profissão.		15
Escrever		
Eu sei escrever sobre uma experiência vivida por mim.		13
Eu sei escrever sobre minha casa relatando o que é importante para mim e o que me agrada na casa.		14
Eu sei escrever um currículo de vida simples.		15
Eu sei escrever um relato simples sobre o meu trabalho.		15

Boa viagem!

A O meu estilo de férias

1 Complete com o verbo correspondente no infinitivo.

a a dança   _dançar_   g a paquera   ....
b a poluição   .... h a natação   ....
c o mergulho   .... i o surfe   ....
d a caminhada   .... j a meditação   ....
e o descanso   .... k o passeio   ....
f o relaxamento .... l o acampamento   ....

2 Escreva frases com *o mais* ou *o menos*.

a É relaxante passar as férias na praia.

   O mais relaxante é passar as férias na praia.

b Na alta temporada, é muito difícil encontrar uma pousada boa e barata.

   ....

c No fim de semana, para mim é muito importante relaxar.

   ....

d Nas férias, para mim não é interessante visitar cidades históricas.

   ....

e Para mim, praticar esportes não é motivante.

   ....

f No carnaval, é divertido dançar na rua.

   ....

3 Complete com as preposições.

   em ◆ no ◆ na ◆ sobre ◆ de (4x) ◆ com ◆ pela

a Pode me dar algumas informações ___sobre___ os hotéis em Brasília?
b Prefiro ficar .... praia e tomar sol.
c Queria reservar um hotel .... três estrelas.
d Muito obrigada .... informação.
e Gosto .... andar .... bicicleta .... amigos.
f Nós temos férias .... duas semanas .... verão.
g Preferia ter férias .... novembro.

4 Leia as afirmações a-c e os anúncios de agências de viagens. Escolha uma viagem apropriada para cada um.

a Armando e sua esposa têm só uma semana de férias. Querem relaxar e estar longe da cidade.
b Joana e Marcos têm uma semana de férias. Querem praticar esportes ao ar livre.
c Alunos da 8ª série da Escola Ponteio querem fazer uma viagem cultural de uma semana.

Maceió:
Praia do Francês

• 7 dias • mergulho,
windsurfe e passeio de
jangada • cozinha
regional • espetáculos
de dança

Cidades Históricas
Ouro Preto, Mariana
e Tiradentes

• 5 dias • visita a museus
e igrejas • arquitetura
colonial e barroca • passeio
de trem: maria-fumaça

Florianópolis–
Blumenau

• 14 dias • praia,
sol e mar • surfe,
windsurfe e kite
• visita a Blumenau
• festa da cerveja

Pantanal

5 dias • hospedagem
em hotel-fazenda
• passeios a cavalo
• observação de animais
e plantas • pesca •
caminhadas

☐　　☐　　☐　　☐

5 Leia o cartão-postal. Quem o escreveu? De qual viagem (do exercício 4) se trata?

Oi, Ana,

Estamos aqui há seis dias e estamos gostando muito.

Praticamos mergulho e posso dizer que já estou mergulhando bem, mas windsurfe é muito difícil.

A comida típica daqui é muito gostosa. Vimos apresentações de danças folclóricas e fomos dançar várias vezes.

Que pena, amanhã é o nosso último dia!

Beijos,

Para
Ana Mendes
Rua Bariri, 123
Alto da Lapa – São Paulo
CEP 04568 – 020

6 Você faz uma das viagens descritas no exercício 4. Escreva um cartão-postal para seu/sua professor/a de português.

7 Escreva o particípio passado.

a procurar — procurado
b vender
c descansar
d viajar
e ver
f ir

g ser
h estar
i sair
j crescer
k fazer
l ter

8 Complete com o perfeito composto.

a ▲ O que você __tem__ __visto__ de interessante na televisão? (ver)
   ◆ Bem, nos últimos dias eu _____ uma série sobre viagens à Ásia. (ver)

b ▲ Vocês _____ muito ao cinema nos últimos tempos? (ir)
   ◆ Não muito, pois não _____ tempo. (ter)

c ▲ Paulo _____ muito de avião nos últimos meses, não é? (viajar)
   ◆ Ah, sim. Ele _____ muito para Manaus. (ir)

d ▲ O que você _____ nas últimas férias? (fazer)
   ◆ Eu _____ alguns países da América Latina. (visitar)

9 Perfeito simples ou perfeito composto? Complete.

a Ontem nós __vimos__ um filme muito bom. (ver)
b No último domingo eu _____ à balada e _____ uma garota simpática. (ir) (conhecer)
c Nos últimos dias ela _____ muitos exercícios para relaxar. (fazer)
d No ano passado eles _____ amigos na Grécia. (visitar)
e Nas últimas semanas eu _____ muito cedo. (levantar-se)
f Anteontem eu _____ ao restaurante com alguns colegas do curso de Português. (ir)

10 O que você tem feito nos últimos três meses? Escreva cinco frases.

_____

_____

_____

_____

_____

B Aventurando-se pelo Brasil.

11 Complete as frases com o contrário dos termos assinalados.

agradável ◆ vazio/-a ◆ tranquilo/-a ◆ velho/-a ◆ monótono/-a ◆ limpo/-a

a ▲ O avião chegou **atrasado?**
   ◆ Não, pelo contrário, chegou __adiantado__ .

b ▲ O hotel estava **cheio** nos feriados?
   ◆ Por causa da chuva estava _____ .

c ▲ A cidade tem fama de **animada**. Havia muito agito à noite, não é?
   ◆ Olha, quando estive lá estava muito _____ .

d ▲ Você achou a cidade **desagradável?**
   ◆ Não. Achei _____ , apesar de, no centro, ser um pouco barulhenta.

e ▲ Por que vocês não entraram na água? As praias estavam **poluídas?**

◆ Não, não. Estavam _____ É que a água estava fria.

f ▲ Como era o ônibus da excursão? **Novo?**

◆ Que nada! Era _____ e no meio do caminho ele quebrou.

g ▲ Gostou da excursão? Foi **interessante?**

◆ Não gostei nem um pouco. Foi muito _____ Dormi o tempo todo.

12 **Complete.**   tão ◆ tanto ◆ tanto (s) ◆ tanta(s)

a ▲ A viagem para Belém é muito cara! Acho que vai custar mais de R$ 2000,00, não é?

◆ Não, acho que não custa _tanto_____.

b ▲ O que você achou das pessoas em Fortaleza?

◆ Olha, adorei. As pessoas lá são _____ simpáticas!

c ▲ Paula e Ivo gostaram do Amazonas?

◆ Gostaram _____ que querem comprar um hotel lá.

d ▲ Você viu a festa do Bumba-meu-boi?

◆ Olha, havia _____ gente na rua que não pude ver quase nada.

e ▲ Pedro praticou muito esporte nas férias?

◆ Até demais. Depois tinha _____ dores nas costas, que teve que ir ao médico.

f ▲ Você não viajou nas férias?

◆ Não. Tive _____ trabalho para entregar que não pude viajar.

g ▲ Por que não vamos à praia Vermelha?

◆ Ah, por que ir para lá? Esta praia é _____ longe!

13 **Como será no ano que vem? Escreva frases combinando os termos e com o verbo no futuro simples.**

		levar	muito dinheiro nas viagens.
Eu		fazer	lembranças do Brasil para os amigos.
Pedro	(não)	dever	roupas quentes na excursão para as montanhas.
Nós	(nunca mais)	gastar mais	ao sul da Ásia na época das chuvas.
Eles, elas		trazer	uma viagem à França por motivos profissionais.
		ir	atender às necessidades dos turistas.

a _No próximo ano eu farei uma viagem à França por motivos profissionais._

b _____

c _____

d _____

e _____

f _____

g _____

14 Leia o texto e complete as frases com o futuro simples.

"Excursões: Conhecendo o lado leste de Ilhabela"

O lado leste de Ilhabela é um paraíso que poucos conhecem. A Agência Vela Azul _lançará_ (lançar) no próximo domingo várias caminhadas que _____ (encantar) os esportistas.

Nós _____ (partir) bem cedo, porque _____ (ir) percorrer 22 quilômetros de jipe até Castelhanos. Depois, para a praia do Bonete, _____ (caminhar) 15 quilômetros, o que _____ (exigir) bom preparo físico, porque _____ (haver) muitas subidas e descidas. Você _____ (poder) tomar banho nas lagoas.

Em Bonete você _____ (conhecer) gente que vive bem, sem as modernidades da cidade grande. Você _____ (poder) dormir numa das duas pousadas. _____ (acordar), _____ (tomar) o café da manhã ouvindo os passarinhos e, com cinco passos, _____ (chegar) à praia. _____ (ter) atrás de você a floresta e sob seus pés, areia, pedras e o mar. Depois _____ (poder) voltar de barco. Os pescadores o _____ (levar) de volta à civilização. Ou _____ (poder) continuar a caminhada até a praia das Enchovas.

15a As anotações da Bete sobre seu fim de semana estão em desordem.
Ouça o telefonema e numere as anotações na ordem correta.

☐ _segunda-feira_	10 horas	Volta a Goiânia
☐ _____	8 horas (acordar)	
	9 horas	Passeio pelo Pelourinho (centro histórico de Salvador)
		Visita às igrejas barrocas
		Museu de Arte Sacra
	de noite	Espetáculo de dança (maravilhoso!)
☐ 1 _____	12:30 horas	Saída de Goiânia para Salvador (voo tranquilo)
	15:30 horas	Chegada ao hotel
	de noite	Restaurante de comida baiana (uma delícia)
☐ _____	9 horas	Excursão à Praia do Forte (de ônibus)
		Passeio na vila
		Projeto Tamar (proteção às tartarugas)
		Volta a Salvador
☐ _____	levantar tarde	Praia (o dia inteiro)

15b Ouça mais uma vez e acrescente os dias de semana.

16 Escreva um texto sobre uma viagem que você fez.

_____

_____

_____

_____

_____

C O tempo

17 *Ai, que calor!* Como está o tempo? Relacione.

a faz calor   c está chovendo   e está nublado   g está ventando
b está nevando   d está ensolarado   f está parcialmente nublado

☐   ☐   ☐   ☐   ☐   ☐   ☐

18 Leia as frases e complete com descrições de tempo. Consulte o vocabulário no exercício 17 e no Livro de Curso, págs. 142–143, atividades 14a e 14b.

a No Rio Grande do Sul a temperatura nesta noite foi de –2°.   *Fez frio* .
b Hoje você não deve sair sem passar protetor solar.
c Mas que verão horrível! Não vejo o sol há muito tempo!
d Acho que vai haver inundação. O rio já está muito cheio.
e Hoje, quando acordei, estava tudo branco lá fora.
f Nossa, como o dia está bonito, o céu azul! Vamos à praia!

19a *Como está o tempo em …?* Ouça o serviço meteorológico e complete.

	tempo	temperatura
a São Paulo:	parcialmente nublado	
b Santos:		
c Rio de Janeiro:		
d Brasília:		

19b Ouça mais uma vez. As afirmações são verdadeiras (V) ou falsas (F)?

	V	F
a A temperatura em São Paulo está caindo.	☐	☐
b Amanhã, em Santos, estará bom para ir à praia e tomar sol.	☐	☐
c Amanhã, no Rio, os cariocas terão muito sol.	☐	☐
d Amanhã a temperatura em Brasília ainda será agradável.	☐	☐

20 Em geral como é o tempo em sua cidade? E em sua região?

Eu já...

	👍	✋	👎	LC
• sei falar sobre o que é importante nas férias.	☐	☐	☐	1–2
• sei falar sobre minhas férias.	☐	☐	☐	3–5
• sei falar sobre acontecimentos que se iniciaram no passado e prosseguem no presente.	☐	☐	☐	6–7
• sei narrar uma experiência de viagem.	☐	☐	☐	8–13
• sei falar sobre acontecimentos no futuro.	☐	☐	☐	10
• sei falar sobre o tempo.	☐	☐	☐	14–16, 18
• consigo entender as ideias centrais de textos de jornais/revistas relacionados a viagem e tempo.	☐	☐	☐	4, 17

A Quem somos nós?

1 Escreva os termos nas palavras cruzadas. Qual é o termo em "k"?

a A farofa, o pão de queijo e o beiju são especialidades feitas desta planta.
b Religião praticada por muitos brasileiros e afro-brasileiros.
c Instrumento musical de influência africana.
d Festa religiosa trazida pelos portugueses, comemorada em dezembro.
e Religião da maioria dos brasileiros trazida pelos portugueses.
f Festas trazidas pelos portugueses e comemoradas no Brasil em junho.
g Espécie de cama de fibra vegetal de influência indígena.
h Especialidade da cozinha brasileira feita com a farinha de mandioca.
i Azeite usado nos pratos de influência africana.
j Jogo, dança ou esporte de influência africana.
k ....

k

a m a n d i o c a
b
c
d
e
f
g
h
i
j

2a Complete com o verbo *ler* na voz passiva. Preste atenção na concordância.

a O jornal _é lido_ por Maria.
b Os jornais _são_ .... por Maria.
c O livro .... por mim.
d Os livros .... por elas.

e A carta .... por todos.
f As cartas .... por nós.
g A frase .... por você.
h As frases .... por vocês.

2b Transforme as frases do exercício 2a para a voz ativa.

a _Maria lê o jornal._
b ....
c ....
d ....
e ....
f ....
g ....
h ....

3 Transforme as frases para a voz passiva.

a Três grupos étnicos formam a população brasileira.
   A população brasileira é formada por três grupos étnicos.
b Brancos, pardos, negros, amarelos e índios compõem a população brasileira.

   ....
c O Brasil produz café e cana-de-açúcar até hoje.

   ....
d A ciência hoje valoriza as plantas medicinais.

   ....

e Os escravos introduziram o berimbau e a capoeira.

....

f Os colonos portugueses levaram as festas cristãs para o Brasil.

....

g Índios, europeus e negros influenciaram os hábitos alimentares no Brasil.

....

h Transportaram cerca de 3,5 milhões de africanos para o Brasil.

....

4a *Concordar* ou *discordar*. Escreva as expressões na coluna adequada.

estou de acordo ◆ você tem razão ◆ pelo contrário ◆ é verdade ◆ isto não é verdade

discordo ◆ eu também acho ◆ mas... ◆ não ◆ concordo... ◆ claro ◆ está certo

acho que não está certo

concordar	discordar
estou de acordo,	

4b Ouça os quatro diálogos. As reações são de concordância ou discordância? Assinale.
A seguir, escreva as expressões mencionadas.

	1	2	3	4
concorda	☐	☐	☐	☐
discorda	☒ Acho que	☐	☐	☐

5 Complete.

verbo	substantivo	verbo	substantivo
organizar	a organização	herdar	
cultivar		contribuir	
variar			a influência
	a sobrevivência	programar	
	a produção		a comemoração
propôr			a esperança
	a introdução	formar	

6 Que aspectos de *Quem somos nós?* (Livro de Curso, parte A, págs. 146–149) você acha mais interessantes? Por quê? Escreva em folha anexa.

a influência do português, do índio e do negro no Brasil ◆ o problema do preconceito racial

B Entre as culturas

7a Estas pessoas se interessam pelas ofertas do *Memorial do Imigrante* na pág. 150 do Livro de Curso. Em que lugar do site você encontra mais informações?

> Queria ver se os nomes dos meus bisavós estão na lista do Kasato Maru, o navio que trouxe os primeiros imigrantes japoneses.
>
> *Lina Myazaki*

a ....

> Não conheço a comida judaica, por isso gostaria de experimentá-la. Queria ir ao Bistrô do Memorial porque eu acho que lá é mais barato que num restaurante judaico. *Fábio Giacometti*

c ....

> Sou filha de libaneses. Há muito tempo quero visitar o Memorial do Imigrante. Quem sabe uma visita com guia?
>
> *Mira Maluf*

b ....

> Este ano é o centenário da imigração japonesa. O que vai ter na festa do imigrante deste ano? Gostaria muito de ver uma apresentação de dança japonesa. *Gilberto Silva*

d ....

7b Releia as afirmações da atividade 7a e responda.

a Por que Mira quer ir ao Memorial do Imigrante?

....

b Por que Fábio se interessa pelo Bistrô do Memorial?

....

c Por que Lina quer ir ao Memorial?

....

d Por que Gilberto está interessado na XIII Festa do Imigrante?

....

8a O que combina? Relacione.

a ter
b lutar contra
c plantações
d ter
e plantar
f trabalho

☐ de café
☐ legumes
☐ o desemprego
☐ pesado
☐ dificuldades
☐ iniciativa

8b Complete o texto de Pedro Garcia com as palavras do exercício 8a.

"Meus pais vieram para o Brasil em 1906. Meu pai tinha 9 anos e minha mãe 6. Nessa época, na Espanha, a região da Andaluzia lutava contra o _desemprego_. Meus avós trabalharam nas plantações de café, no sul de Minas e norte de São Paulo. No começo .... muitas dificuldades. O trabalho nas .... de café era muito .... Eles trabalhavam 12 horas por dia. Não havia escolas. As casas eram muito ruins. Quando ficavam doentes, era um problema porque as fazendas ficavam longe das cidades. Meus avós contavam que os caboclos (mestiços descendentes de índios com portugueses) não tinham muita ...., pois só plantavam milho e mandioca em volta da casa. Eram piores que os índios, diziam. O interessante é que os meus avós, passados os primeiros preconceitos, aprenderam a fazer a broa de milho, a pamonha, o pudim de milho verde, os biscoitos de polvilho e a comer a mandioca. E os caboclos, por seu lado, admiravam os legumes que os espanhóis plantavam no quintal."

8c Na coluna à esquerda, escreva os subtítulos adequados às frases da coluna à direita.

Dificuldades • Crítica aos nativos • Trabalho no Brasil • Aprendizagem
Data da chegada ao Brasil • Razão da emigração (Por quê?) • Lugar de origem • Admiração

a Data da chegada ao Brasil	Em 1906.
b	Da Andaluzia, Espanha.
c	Situação de desemprego na Andaluzia.
d	Trabalharam nas plantações de café.
e	Trabalho duro, muitas horas de trabalho, falta de escolas, longe das cidades, casas ruins, atendimento médico difícil.
f	Não tinham iniciativa. Plantavam só milho e mandioca.
g	Aprenderam a usar o milho e a mandioca na alimentação.
h	Os caboclos admiravam os legumes dos espanhóis.

9 Ouça a conversa. As afirmações são verdadeiras (V) ou falsas (F)? Assinale.

	V	F
a Os avós paternos de Ana eram alemães.	☐	☐
b Os pais são brasileiros.	☐	☐
c Tiveram que emigrar devido à má situação econômica na Alemanha.	☐	☐
d Começaram a trabalhar em São Paulo em 1930.	☐	☐

No período da guerra:

	V	F
e – os imigrantes e descendentes podiam falar alemão.	☐	☐
f – as crianças não podiam ir às escolas alemãs.	☐	☐
g – os imigrantes alemães podiam andar em grupos nas ruas.	☐	☐
h Anna aprendeu alemão em casa.	☐	☐
i Os avós não falavam português.	☐	☐

10 Em folha separada, escreva um pequeno texto sobre imigrantes em seu país: De onde vêm? Quando e por que razão vieram? Que influências exerceram (comida, música, etc.)?

C As populações tradicionais – Resistência, luta e meio ambiente

11 Risque a palavra que não pertence à sequência.

a extrativismo vegetal, produto, pequena agricultura, pesca

b pecuária, equilíbrio, preservação, meio ambiente

c caiçara, índio, quilombola, turista

d mar, mata, indústria, rio

12 Leia os textos A-D no Livro de Curso, págs. 165-166 e responda às perguntas.

Texto A

a Por que os moradores da comunidade de Ponta Grossa se organizaram e formaram uma associação?

b Do que eles vivem depois que formaram a associação?

Texto B

a Quem mandou destruir as casas no Quilombo de Mata Cavalo? Por quê?

....

b O que fizeram os representantes da comunidade depois que as casas foram destruídas?

....

Texto C

a Como o asfaltamento da BR-163 vai prejudicar os índios?

....

b Para quem o asfaltamento vai ser bom?

....

Texto D

a Por que os manifestantes ocuparam a rodovia BR-116?

....

b O que acontecerá com a construção da hidrelétrica?

....

13 **Complete com um dos termos.**

a lutar/luta
   1 Os pescadores *lutam* .... contra as imobiliárias.
   2 .... dos pescadores contra as imobiliárias foi notícia de um jornal inglês.

b manifestar-se/manifestação
   1 Na BR-116 houve uma .... contra a construção da hidrelétrica.
   2 Os habitantes do Vale do Ribeira .... contra a construção da hidrelétrica.

c destruir/destruição
   1 Ontem o trator do fazendeiro .... as casas dos quilombolas.
   2 A ordem de .... das casas foi dada por um fazendeiro.

d reivindicar/reivindicação
   1 Você acha .... dos índios justa?
   2 Os índios .... a construção de estradas de acesso às aldeias.

e brigar/brigas
   1 Por causa das terras acontecem .... entre o fazendeiro e quilombolas.
   2 Os fazendeiros .... com os quilombolas por causa das terras.

14 **Complete.**

infinitivo	presente do indicativo	presente do subjuntivo (conjuntivo)
respeitar	eu respeito	que eu respeite
tomar		
	eu continuo	
atender	eu	que eu atenda
	eu aprendo	
		que eu conheça
		que eu discuta
construir	eu construo	
vir	eu venho	
	eu faço	

15 Leia e sublinhe os verbos adequados.

Esperamos que o Brasil *entenda/desenvolva* melhor a nossa causa e se *lembre/experimente* sempre da presença negra na sociedade. Queremos que o negro *comemore/estude* e *espere/ganhe* mais! Pois, quem não estuda, não ganha bem! Com as cotas esperamos que o negro *tenha/leia* mais chances educacionais, *consiga/transmita* boas oportunidades no mercado de trabalho e *saia/divida* do ciclo vicioso da pobreza.

16 Escreva os verbos na coluna adequada.

entende ◆ respeita ◆ respeite ◆ venha ◆ luta ◆ faça ◆ prejudica ◆ faz
resiste ◆ vem ◆ resista ◆ escreva

presente do indicativo (3ª pessoa)	presente do subjuntivo (conjuntivo) (3ª pessoa)
entende,	*respeite,*

17 Complete com o presente do indicativo ou com o presente do subjuntivo.

a Eu espero que os índios *ganhem* a sua luta. (ganhar)
b Queremos que o governo _____ conversar conosco. (vir)
c Eles querem que os turistas _____ a beleza da praia. (aproveitar)
d Os manifestantes _____ a rodovia BR-116. (ocupar)
e Nós esperamos que as empresas _____ os projetos conosco. (discutir)
f As empresas não _____ os projetos conosco. (discutir)

18 Um amigo seu vai ao Brasil. O que você deseja a ele?

a fazer uma boa viagem — *Eu espero que faça uma boa viagem.*
b aprender português — *Eu quero que você*
c conhecer pessoas interessantes
d encontrar um bom hotel
e ter bom tempo
f aproveitar bastante a praia
g não ficar doente

19 Em folha separada, escreva um texto sobre um projeto ou um movimento pela proteção da natureza, animais ou minorias étnicas e sociais.

Eu já...

	👍	✋	👎	LC
• sei fazer suposições.	☐	☐	☐	1, 3a
• consigo participar de uma discussão simples.	☐	☐	☐	4
• consigo entender as ideias centrais de uma discussão sobre a formação étnica do Brasil.	☐	☐	☐	7b, 7c, 11
• sei falar sobre a população brasileira e a de meu país de origem.	☐	☐	☐	6, 8, 12, 15
• consigo entender informações de um site da internet.	☐	☐	☐	9
• sei expressar desejos e esperança.	☐	☐	☐	14
• consigo encontrar, com o auxílio de ilustrações/perguntas/tabelas, informações relevantes em textos explicativos.	☐	☐	☐	2, 3, 7a, 9, 10, 13

Hoje é dia de festa!

Ⓐ Parabéns a você!

1 Como você reage quando alguém lhe diz as frases a–g? Relacione. É possível relacionar mais de uma resposta.

a Hoje é o meu aniversário!
b Até que enfim terminei a faculdade!
c Vamos nos casar amanhã.
d Hoje faço aniversário de casamento: 25 anos!
e É só uma lembrancinha simples.
f Isto é para você.
g Um CD do Chico César! Adorei, viu?

1 Ah, obrigada. Gostei muito.
2 Felicidades para vocês dois!
3 Parabéns e que tenha muitos anos de vida!
4 Que bom que você gostou.
5 Parabéns e muito sucesso no futuro.
6 Muito obrigada. Não precisava…
7 Parabéns, muitas felicidades.

2a Relacione os verbos no infinitivo às respectivas formas no presente do subjuntivo.

a ter   b fazer   c sair   d vir   e ser   f divertir-se

☐ que … venha
☐ que … tenha

e que … seja
☐ que … saia

☐ que … se divirta
☐ que … faça

2b Complete as frases com os verbos do exercício 2a no presente do subjuntivo.

▲ Rita, quantas pessoas vocês convidaram para a festa de Bodas de Ouro dos seus pais?
◆ Umas 40 pessoas.
▲ Nossa, tanta gente?
◆ Quero que todos ..*venham*.. Meus pais ficariam muito contentes.

▲ Bem, desejo que a festa .... bonita e que todos .... bastante.
◆ Obrigada. Só espero que não .... (chover). Espero que .... bom tempo porque uma parte da festa vai ser fora.

te (informal) • lhe • lhes (formal)

3a Complete o e-mail.

Oi, primo!
Você não veio à festa! Uma pena, a família inteira estava lá. Só faltou você. Mas estou ..*te*.. mandando algumas fotos pra você matar as saudades. Espero que você se divirta com algumas que estão super engraçadas. Todo mundo .... manda um abraço.
Eu .... desejo boas melhoras. Fique bom logo.
Espero .... encontrar nas férias.
Mil beijinhos desta prima que .... adora, Milene.

a

Querida Denise,
Queria ..*lhe*.. agradecer o convite. Infelizmente não pude ir à festa dos 50 anos de casamento dos seus pais porque estava viajando e fiquei sabendo só quando cheguei. Telefonei ontem para os seus pais para .... dar os parabéns. Eles ficaram felicíssimos com a festa. Na semana que vem vou visitá-los e queria .... dar um presente. Você tem uma ideia do que posso dar? Posso .... telefonar amanhã de noite?
Um abraço, Felícia

b

3b Substitua *para* + pronome por *lhe(s)*.

a O que ele disse *para você*?
b Quero apresentar o meu namorado para vocês.
c Rui trouxe um presente para ele.
d Que presente a avó deu para ela?
e Todos levaram um presente para eles.
f Todos desejaram sucesso para elas.

O que ele ..*lhe*.. disse?
Quero .... apresentar o meu namorado.
Rui .... trouxe um presente.
Que presente a avó .... deu?
Todos .... levaram um presente.
Todos .... desejaram sucesso

4   Assinale as formas verbais adequadas. De que festa se trata?

a   A festa foi num hotel-fazenda perto de Belo Horizonte. Quando o jovem casal *partia/partiu* para a viagem de lua de mel, já *era/foi* muito tarde. Mas muitos convidados ainda *ficavam/ficaram* festejando até a meia-noite.
Festa: _____

b   Na sexta-feira passada toda a família esteve lá para cumprimentá-la. Todos lhe *desejavam/desejaram* felicidades e sucesso na profissão que iria começar. No sábado à noite foi a festa, com o baile . As moças *estavam/estiveram* de vestido longo e os rapazes de terno escuro e gravata. *Estavam/estiveram* todos muito elegantes e se *divertiam/divertiram* muito.
Festa: _____

c   No domingo passado os filhos e os netos se *reuniam/reuniram* lá na sua casa. A festa foi no jardim. Meus tios *estavam/estiveram* muito ocupados: ele com o churrasco e ela com o bufê. De tardezinha *cantávamos/cantamos* parabéns para o meu avô e depois *comíamos/comemos* o bolo.
Festa: _____

5a   Complete com as formas de *ir* e ***vir* / *levar* e *trazer*.

▲ Você _____ ao meu churrasco no sábado?

◆ Claro, _____, sim. Vou estar aí às duas horas. O que eu devo _____?

▲ Bem, você pode _____ uma salada?

5b   A Lia telefona para a irmã. Complete as frases com as formas de *ir* e ***vir* / *levar* e *trazer*.

▲ O baile já começou. Você não _____?
◆ Já estou *indo* _____. Estou quase pronta.
▲ Como é que você _____ para cá?
◆ O papai vai me _____
▲ Você pode me _____ um casaco? Aqui está um pouco frio.
◆ Claro, posso _____ o branquinho?
▲ Pode me _____ qualquer um.

6   Ouça. Assinale o que as pessoas dizem.

a   Como Clara se expressa para convidar João?   ☐ Convido você para jantar.
☐ Vocês não querem vir jantar conosco?

b   Como João aceita o convite?   ☐ Vou sim.
☐ Ah, que coisa boa! Claro que queremos.

c   Como João agradece o convite?   ☐ Obrigado pelo convite.
☐ Agradeço o convite.

d   Como Anita recusa o convite?   ☐ Gostaria muito, mas _____
☐ Que pena, não vou poder ir.

7   Seu amigo ou sua amiga convidou você para a festa de aniversário. Você aceita o convite? Ou recusa? Escreva-lhe um e-mail.

B Festas e tradições

8 Complete.   em (4x) • de (4x) • no (1x) • na (2x)

a O que se comemora _em_ 15 _____ novembro no Brasil? → A Proclamação da República.

b No Brasil se comemora o Dia dos Namorados _____ dia 12 _____ junho.

c O Carnaval começa _____ sexta _____ noite e termina, em geral, _____ quarta _____ manhã.

d Quando são as festas de Santo Antônio, São João e São Pedro? → _____ junho.

e _____ que ano o Brasil se tornou independente? → _____ 1822.

9 Complete.   me • se • nos

a ▲ Como vocês _se_ vestem no réveillon?

  ◆ Nós _____ vestimos de branco.

b ▲ Você também _____ veste de branco, Paulo?

  ◆ Claro, eu também _____ visto de branco.

c ▲ Onde a sua família _____ encontra no Natal?

  ◆ Nós _____ encontramos na casa de um parente.

d ▲ Quem enfeita as ruas antes dos jogos de futebol?

  ◆ A vizinhança toda _____ organiza para enfeitar as ruas.

10 *Festas de fim de ano no Brasil.* Escreva frases com *se*.

a festejar o Natal / na casa de um parente   _Festeja-se o Natal na casa de um parente._

b fazer a ceia da véspera de Natal / com muita gente: avós, filhos, tios, primos, etc.

c fazer o amigo-secreto / mais ou menos um mês antes

d comer bacalhau ou peru assado / na ceia de Natal

e soltar fogos / à meia-noite do dia 31

f usar roupa branca / na noite do dia 31 de dezembro

11 Compare as tradições do exercício 10 com as do seu país. Escreva em folha separada.

12 *Festa de recepção aos calouros.* Ouça e assinale as alternativas corretas.

a A festa de recepção aos calouros é feita quando
  ☐ os estudantes entram na faculdade.
  ☐ os estudantes saem da faculdade.

b Quem faz a festa de recepção aos calouros são
  ☐ os professores.
  ☐ os alunos mais antigos.

c Cortaram o cabelo
  ☐ só dos rapazes.
  ☐ dos rapazes e das moças.

d Os calouros tiveram que
  ☐ pedir dinheiro nas ruas.
  ☐ desfilar e dançar fantasiados nas ruas.

18

13a *Bolô de fubá.* Leia a lista dos ingredientes.

Especialidades feitas à base de milho são muito apreciadas nas festas juninas. Experimente esta receita de bolo de fubá. É fácil de fazer e é uma delícia!

Ingredientes

3 ovos
3 colheres de sopa de manteiga
3 xícaras de chá de açúcar
1 xícara de chá de farinha de trigo

2 xícaras de chá de fubá
1 xícara de chá de leite
1 colher de sopa de fermento
1 colher de chá de sal

13b *Modo de fazer.* Relacione as instruções às ilustrações.

1 2 3 4 5 6

a *Pôr* a massa numa forma para assar. (180°, 35 min.) ☐
b *Pôr* as claras em neve e *mexer* levemente. ☐
c *Bater* as claras em neve. ☐
d *Juntar* o leite aos poucos. *Bater* bem. ☐
e *Bater* bem o açúcar, a manteiga e as gemas dos ovos. ☐
f *Juntar* a farinha de trigo e o fubá, o sal e o fermento em pó. ☐

13c Escreva as frases do exercício 13b no imperativo.

a Ponha
b
c
d
e
f

C Carnaval: a festa da alegria!

14 Passe as frases para a voz ativa.

a Em 1917 foi gravado o samba "Pelo telefone" pela Odeon.
   Em 1917 a Odeon gravou o samba

b O samba de roda foi levado ao Rio de Janeiro pelos baianos.
   Os baianos

c A música "Pelo telefone" foi composta por músicos cariocas.

d O Carnaval é comemorado com o samba pelos cariocas.

15 Transforme as frases na voz passiva com *ser* em frases com *se*.

a Da fusão do samba com o jazz foi criada a bossa nova.
Da fusão do samba com o jazz criou-se a bossa nova.

b Na casa da Tia Ciata foi desenvolvido o samba carioca.
O samba carioca ....

c Motoristas são procurados para dirigir carros alegóricos.
Procuram-se ....

d Uma fantasia de Faraó é vendida por R$ 50,00.
....

16 A partícula *se* pode assumir vários significados. Veja os exemplos e identifique o significado nas frases restantes.

1. voz passiva
2. pronome reflexivo
3. indeterminação do sujeito

a Nas festas juninas se dança a quadrilha. .....1.....

b Na véspera de Natal a família toda se encontra na casa da mãe. .....2.....

c Vive-se bem aqui. .....3.....

d Procuram-se salões para festas de formatura. ....

e Ele se interessa por música. ....

f Dança-se quadrilha nas festas juninas. ....

g Trabalhou-se muito ontem. ....

17 Forme frases.

a ▲ Queria ver o desfile de carnaval no sambódromo.
◆ Ah, é? Você quer ver o desfile? _É bom comprar as entradas algumas semanas antes._
(algumas semanas / as entradas / É bom / antes / comprar)

b ▲ Queria aprender a dançar samba.
◆ Olha, é fácil. *Basta* ....
....
(o ritmo / Basta / relaxar / seguir / o corpo / e)
(os pés / mexer / também / É preciso)

c ▲ Para a felicidade dos cariocas, o carnaval de rua voltou.
◆ Agora ....
(e / participar de / vale a pena / um bloco carnavalesco / ficar / no Rio)

d Quando as debutantes estavam dançando a valsa, a mãe da Dalva pensou:
....
(essas mocinhas / É emocionante / jovens / e / bonitas / ver)

18 Leia o texto e assinale as afirmações corretas.

Os foliões preferem os blocos para se divertir

Para a felicidade dos cariocas, com os blocos carnavalescos, o Carnaval de rua voltou, com muito entusiamo, muita alegria e muita música. E é de graça. Agora vale a pena ficar no Rio nos dias do Carnaval.

Há blocos de todos os tipos. Há os blocos antigos e tradicionais, que continuam atraindo muita gente. Nos últimos anos surgiram vários outros, de formatos e tamanhos diferentes, levando jovens, velhos e crianças às ruas. Tocam sambas ou as tradicionais marchinhas de Carnaval, com bandas próprias ou com ritmistas das escolas de samba. Hoje existem mais de 300 blocos em diversos pontos da cidade, mas principalmente na Zona Sul e no Centro.

Alguns blocos cresceram tanto que adotam a curiosa estratégia de não dizer o horário do desfile para não atrair muitos foliões. Mas, para quem odeia multidão, há os blocos mais tranquilos, com jeito de grupos de amigos. Mas até quando?

Os nomes dos blocos são superengraçados: *"Bafo da onça"*, *"Sovaco do Cristo"*, *"Voltar, pra quê?"*, *"Meu bem, volto já"*, *"Esse é o bom, mas ninguém sabe"*, *"Simpatia é quase amor"*. Eles mostram que os foliões seguem a filosofia de irreverência, alegria e criatividade e que a disposição para brincar e se divertir continua vivíssima.

a Com os blocos, o carnaval de rua no Rio voltou com toda a força. ☒

b Para se divertir nos blocos é preciso pagar entrada. ☐

c Mais de 300 blocos atraem milhares de foliões. ☐

d Há blocos de todos os tipos e tamanhos. ☐

e O blocos tocam só marchinhas. ☐

19 Você participa de um fórum de discussão sobre festas na internet. Escreva um pequeno texto sobre uma festa que lhe agrada em especial.

....

....

....

....

Eu já...

	👍	✋	👎	LC
• sei descrever festas e tradições.	☐	☐	☐	1, 2, 10–16
• sei parabenizar alguém pelo aniversário e reagir quando parabenizado.	☐	☐	☐	3
• sei expressar felicitações.	☐	☐	☐	3, 4
• sei convidar alguém.	☐	☐	☐	5, 7
• sei aceitar ou recusar um convite e justificar a recusa.	☐	☐	☐	6, 7
• sei narrar acontecimentos em diversas ocasiões sociais.	☐	☐	☐	8
• consigo entender, comentar e discutir manchetes.	☐	☐	☐	17–19
• consigo entender as ideias centrais de um texto sobre carnaval.	☐	☐	☐	20
• consigo seguir as instruções dos passos básicos de uma dança.	☐	☐	☐	21

Revisão VI

Teste   Leia e assinale a alternativa correta.

1. ▲ Nós fazemos .... na piscina perto de casa.
   ◆ Na piscina? Ah, não. Eu gosto mais é de .... no mar.
   - ☐ a natação / nado
   - ☐ b natação / nadar
   - ☐ c nadar / natação

2. ▲ Preciso de .... Estou tão estressada!
   ◆ Por que você não vai para um spa? É o lugar ideal para ....
   - ☐ a descanso / descansar
   - ☐ b descansa / descansar
   - ☐ c descansar / descansado

3. ▲ Nas férias acho muito interessante conhecer a cultura de outros lugares.
   ◆ Ah, para mim .... interessante é fazer esportes.
   - ☐ a o muito
   - ☐ b o mais
   - ☐ c o bastante

4. ▲ O que você .... nos últimos tempos?
   ◆ Bem, no mês passado .... uma garota e nós .... juntos ultimamente.
   - ☐ a tem feito / conheci / temos saído
   - ☐ b fez / tenho conhecido / temos saído
   - ☐ c fiz / conheci / saímos

5. ▲ Você .... seus amigos nos últimos tempos?
   ◆ Infelizmente os encontros não .... frequentes como antes.
   - ☐ a tem vindo / eram
   - ☐ b viu / foram
   - ☐ c tem visto / têm sido

6. ▲ A praia estava .... no fim de semana?
   ◆ Não. Por causa do feriado prolongado estava muito ....
   - ☐ a esvaziada / vazia
   - ☐ b vazia / cheia
   - ☐ c pouca gente / muita gente

7. ▲ Peter gostou .... das praias no Brasil que quer morar lá.
   ◆ Ah, não, é verdade? Mas o Brasil é .... longe!
   - ☐ a tanto / tão
   - ☐ b tão / tanto
   - ☐ c tantas / tão

8. ▲ Os moradores se .... amanhã para discutir os problemas do bairro.
   ◆ E você sabe onde .... a reunião?
   - ☐ a reuniam / seria
   - ☐ b reuniram / é
   - ☐ c reunirão / será

9. ▲ Estou muito cansado. Já .... para a cama. Boa noite!
   ◆ Boa noite! .... bem.
   - ☐ a vou / Durma
   - ☐ b vá / durma
   - ☐ c vai / dorme

10. ▲ Vou passar as férias no Brasil.
    ◆ Espero que .... bom tempo lá e que você .... bastante português.
    - ☐ a faça / fala
    - ☐ b faça / fale
    - ☐ c faz / fala

11. ▲ Você sabe porque muitos imigrantes .... para o Brasil nos séculos passados?
    ◆ Claro que sei. Eles .... pelo café, que era chamado de "grãos de ouro".
    - ☐ a foram / foram atraídos
    - ☐ b vão / é atraído
    - ☐ c irão / são atraídos

12. ▲ Acho que a maior influência do índio no Brasil foi na religião.
    ◆ .... A sua maior influência foi na alimentação.
    - ☐ a Concordo.
    - ☐ b Você tem razão.
    - ☐ c Isto não é verdade.

13. ▲ Pedro, ... e que tenha muitos anos de vida!
    ◆ ....
    - ☐ a parabéns / Que legal.
    - ☐ b muitas felicidades / Obrigada.
    - ☐ c parabéns / Muito obrigado.

14. ▲ Você esteve na festa da Mara? Você sabe o que José deu .... de presente?
    ◆ Olha, José .... deu um colar lindo. Ela estava muito feliz.
    - ☐ a para ela / lhe
    - ☐ b a / lha
    - ☐ c lhe / a

15. ▲ Quando Mara viu a filha tão alegre, pensou:
    ◆ Como .... ser jovem e ter energia!
    - ☐ a será preciso
    - ☐ b é necessário
    - ☐ c é bom

Ficha de avaliação

Esta ficha vai ajudar você a avaliar seus conhecimentos.

Na coluna avaliação, anote o símbolo de acordo com o resultado:

++ (muito bem)   + (bem)   ! (ainda é difícil para mim)

Se necessário, você pode revisar o conteúdo das lições. Os números na última coluna indicam a lição.

Ouvir

	Avaliação	Lição
Eu entendo relatos sobre experiências de viagens, por exemplo, descrições e avaliações de lugares e paisagens.		1
Eu entendo informações sobre o tempo transmitidas por rádio ou por conversa telefônica.		16
Eu entendo uma discussão simples sobre o tema população brasileira, por exemplo, sobre a influência dos portugueses, índios e africanos.		17
Eu entendo pontos centrais de uma entrevista sobre etnias no Brasil, por exemplo, a luta dos afro-brasileiros contra o racismo.		17
Eu entendo telefonemas, por exemplo, se alguém aceita ou recusa um convite.		18
Eu entendo descrições de festas e tradições, por exemplo, festas populares, Natal, réveillon, carnaval.		18

Ler

		Lição
Eu entendo informações sobre viagens em anúncios, guias de viagens, entrevistas, e-mails.		16
Eu entendo uma reportagem sobre, por exemplo, os efeitos do El Niño no Brasil.		16
Eu entendo informações essenciais num texto sobre a população brasileira, por exemplo, em artigos de jornal, em enciclopédias, em sites da internet.		17
Eu entendo programações de eventos, por exemplo, uma festa popular brasileira.		17
Eu entendo as instruções dos passos básicos do samba.		18

Falar

Participar de conversas

		Lição
Eu sei falar sobre o que é importante para mim nas férias.		16
Eu sei descrever paisagens e locais onde estive de viagem.		16
Eu consigo dar minha opinião, numa discussão simples, sobre as influências dos portugueses, indígenas e africanos na cultura brasileira.		17
Eu sei felicitar alguém, por exemplo, pelo aniversário ou pelo casamento e sei responder a felicitações..		18
Eu sei reagir a convites: aceitá-los ou recusá-los e justificar a recusa.		18

Fazer breves relatos

		Lição
Eu sei narrar experiências de viagens.		16
Eu sei fazer um relato sobre a população do Brasil e do meu país.		17
Eu sei falar sobre festas e tradições.		18

Escrever

		Lição
Eu sei descrever uma viagem num cartão postal.		16
Eu sei escrever um texto simples sobre os imigrantes em meu país.		17
Eu sei escrever um texto simples sobre festas, por exemplo, num blog ou num fórum de discussão na internet.		18

Gabarito

Lição 1

1 a. meu nome, b. sou, sou, c. Este, esta, d. Como
2 a. boa tarde, b. boa noite, c. boa tarde, d. bom dia
3 a. 4, b. 3, c. 2, d. 1
4 a. moramos, b. são, somos, é, c. moram, moro, mora,
   d. mora, moro, e. são, moram, são, moram
5 b. Moramos. c. Sou. d. É.
6 b. Não, somos de Florianópolis. c. Não, (eles) são de
   Fortaleza. d. Não, (ela) mora em Brasília. e. Não, (eu)
   sou de Sevilha. f. Não, (eu) moro em La Paz.
7 b. (Nós) não somos de Vitória. c. (Eles) não moram
   em Nova York. d. Eu não sei o número do telefone.
   e. Eu não sou o Pedro. Eu não moro em Paris.
   f. O Copacabana Palace não é um museu.
8 a. é, b. sou, sou, c. sou, são, d. somos
9 ▲ *Oi, eu sou o Paulo César. Muito prazer.*
   ◆ *Oi, muito prazer. Meu nome é Cristina.*
   ▲ *De onde você é, Cristina?*
   ◆ *De Porto Alegre, mas eu moro em São Paulo. E você?*
   ▲ *Eu sou de Belo Horizonte.*
   ◆ *Ah, de Belo Horizonte? E você mora em Belo Hori-*
      zonte?
   ▲ *Não, moro em Parati.*
   ◆ *Puxa, em Parati?*
   ▲ *É, em Parati. Uma cidade muito boa para morar.*
10 *solução livre*
11

	saudação	despedida	ambos
a. bom dia	X		
b. até amanhã		X	
c. boa tarde	X		
d. oi	X		
e. até logo		X	
f. boa noite			X
g. até a próxima semana		X	

12 a. a, esta, a, uma, b. este, o, um, c. o, este, o, um,
   d. esta, a, uma
13 a. Lisboa, b. mas, c. também, d. esta, e. sim
14 a. 5, b. 8, c. 6, d. 4, e. 1, f. 7, g. 2, h. 3, 6, 8
15 a. Muito prazer, (Sr. Francisco.)
   b. Oi, Malu, (tudo bem?) / Bom dia, Malu, (como vai?)
   c. Boa noite! / Tchau. / Até amanhã.
   d. Boa tarde, D. Zélia, (como vai a senhora?)
16 *solução livre*
17 2 – 12 – 10 – 3 – 15 – 16 – 17 – 5 – 11 – 7 – 6
18 1. b, 2. b

Transcrição
◆ Alô?
▲ Oi, Bruno, tudo bem?
◆ Tudo, e você?
▲ Também. Olha, Bruno, por favor, você sabe qual é
   o número do telefone da Maria Helena?
◆ Maria Helena…?
▲ É, da Maria Helena, de Salvador.
◆ Ah…, um momento… Olha, o número é
   071 / 93 67 87 78.
▲ Ah, 071 / 93 67 87 78.
◆ É.
▲ Desculpe, e o número do Hotel Bahia, você sabe
   qual é?
◆ Do Hotel Bahia Mar?
▲ É.
◆ Um momentinho… Olha, é 071 / 34 56 97 87.
▲ Como? … 87 97?
◆ Não, não. É 34 56 97 87.
▲ Ah, sim. Muito obrigada. Tchau.
◆ De nada. Tchau.

19 -a: a escola, a praça, a bebida, a comida
   -o, -al, -el, -au: o instrumento, o berimbau, o hotel,
   o Pantanal
   -e: o telefone, o nome, a noite, a tarde
20 a. **A** feijoada é **uma** bebida típica brasileira. (F)
   b. **O** Copacabana Palace é **uma** reserva ecológica. (F)
   c. **A** caipirinha é **uma** comida típica brasileira. (F)
   d. **O** berimbau é **um** instrumento musical afro-brasileiro.
   (V)
   e. **O** Pantanal é **um** hotel do Rio de Janeiro famoso. (F)
21 b. O que, 6, c. O que, 7, d. Qual, 5, e. De onde, 3,
   f. O que, 2, g. Como, 1, h. Onde, 4
22 a. Jucelino Kubitschek, b. Getúlio Vargas, c. Ayrton
   Senna
23

				●●●	●●●	●●●
a.	se	nhor				X
b.	cai	pi	ri	nha		X	
c.	tí	pi	ca	X		
d.	ce	lu	lar			X

24 a. Pa-ra-<u>ti</u>, b. Ma-<u>lu</u>, c. a-ma-<u>nhã</u>, d. be-rim-<u>bau</u>,
   e. mu-<u>seu</u>, f. pra-<u>zer</u>, g. Bra-<u>sil</u>, h. se-<u>ma</u>-na, i. a-e-ro-
   <u>por</u>-to, j. te-le-<u>fo</u>-ne, k. a-<u>mi</u>-go, l. u-ni-ver-si-<u>da</u>-de,
   m. <u>nú</u>-me-ro, n. <u>pró</u>-xi-ma
25 a. Palavras terminadas em *i, u, ã, au, eu* ou nas consoantes *r* e *l* têm a sílaba tônica na *última* sílaba.
   b. Palavras terminadas em *a, o, e* têm a sílaba tônica na
   penúltima sílaba.
   c. Palavras que têm a sílaba tônica na *antepenúltima*
   sílaba recebem sempre um acento gráfico na sílaba
   tônica.
26 a. e-co-<u>ló</u>-gi-ca, b. For-ta-<u>le</u>-za, c. vo-<u>cês</u>, d. Sal-va-
   <u>dor</u>, e. cul-tu-<u>ral</u>, f. jor-<u>nal</u>, g. es-<u>tá</u>-di-o, h. ce-lu-<u>lar</u>,
   i. i-<u>glu</u>, j. te-le-<u>fo</u>-ne, k. pra-<u>zer</u>, l. a-<u>mi</u>-go, m. ja-bu-
   <u>ti</u>, n. mo-<u>rar</u>, o. fa-<u>vor</u>, p. Pan-ta-<u>nal</u>, q. <u>nú</u>-me-ro,
   r. de-va-<u>gar</u>

1 a. azul, branca e vermelha, b. vermelha, amarela, vermelha, c. verde, amarela, azul e branca, d. vermelha e branca, e. preta, vermelha e amarela

2 a. de, b. do, da, c. de, do, de, d. em, Em, no

3 a. 4, b. 6, c. 2, d. 5, e. 3, f. 1

4 ▲ *Dona Érica, a senhora é paraguaia?*
◆ Sou, sim. Sou de Assunção.
▲ *Mas a senhora fala português muito bem.*
◆ *Você acha? Muito obrigada. Eu moro aqui no Brasil.*
▲ Ah, é? E em que cidade a senhora mora?
◆ Moro na Bahia, em Salvador.

5 *solução livre*

6 b. 4 são as marcas alem**ãs** mais famos**as**, c. 6 é uma bebida brasileir**a**, d. 1 é uma comida típic**a** espanhol**a**, e. 3 é o jogador de futebol brasileir**o** mais famos**o**, f. 5 é uma bebida mexican**a**

7 a. bebidas típicas brasileiras, b. instrumentos musicais, c. atores franceses e atrizes alemãs, d. jornais alemães, e. jogadores portugueses, f. cantores ingleses

8 a. Fernanda Montenegro e Fernanda Torres são atrizes brasileiras.
b. Toyota e Honda são carros japoneses.
c. Le Monde e Le Figaro são jornais franceses.

9

♂	♀	♂♀
o engenheiro	a vendedora	o/a estudante
o arquiteto	a bancária	o/a dentista
o programador	a secretária	o/a recepcionista

10 a. estudante, b. bancário, c. jornalista, d. engenheira, e. professor, f. secretária, g. médica, h. artista

11 b. no banco, c. no departamento de engenharia, d. na universidade, e. no hospital

12 a. trabalha, Trabalho, b. Sou, c. falam, falamos, d. estudam, trabalham

13 *solução livre*

14 a. 40, 30, 35, b. 22, 23, 25, c. 70, 73, 75, d. 50, 52, 51

Transcrição
1. ◆ Quantos anos o André tem?
▲ Acho que ele tem 40 anos.
◆ 40 anos? Não, ele tem 30. No máximo 35.
2. ◆ E a Helena?
▲ Eu acho que ela tem uns 22, 23 anos.
◆ É. Eu também acho que ela tem menos de 25 anos.
3. ◆ Quantos anos o Sr. Luís tem?
▲ Eu acho que ele tem mais de 70 anos. Uns 73, 75 anos.
◆ Puxa! Não parece.
4. ◆ E quantos anos a D. Estela tem?
▲ A D. Estela tem mais de 50 anos. Uns 52, 51 anos.
◆ Puxa! Tudo isso? Parece que tem menos.

15 a. 33, b. 62, 101, c. 95, d. 67, e. 55, 102

Transcrição
a. ◆ O número da casa do André?
▲ Um momento… Olha, o número é 33…, rua da Lapa, 33.
b. ◆ Onde a Teresa mora?
▲ Ela mora na avenida Brasil número 62, apartamento 101.
c. ◆ O Hotel do Leme é na avenida Bela Vista, 95.
d. ◆ A galeria de artes é na avenida Paulista, 67.
e. ◆ Vera e Marcos moram na rua Bahia, 55, apartamento 102.

16 a. tem, tem, b. tem, Tenho, é, c. é, Sou

17 a. O que você faz? / Qual é a sua profissão?
b. Qual é a sua nacionalidade?
c. Quantos anos você tem?
d. Você tem fax?
e. Qual é o seu e-mail?

18 b. 5, c. 1, d. 7, e. 4, f. 2, g. 6

Transcrição
◆ Como é o seu nome e sobrenome?
▲ Bettina Schilling.
◆ Como? Bettina… ? Por favor, pode soletrar o seu sobrenome?
▲ Sim, claro. Schilling: S-c-h-i-l-l-i-n-g. E Bettina é com dois ts.
◆ Muito bem… Qual é a sua nacionalidade, por favor.
▲ Sou austríaca.
◆ E qual é a sua profissão? E sua idade?
▲ Sou estudante e tenho 23 anos.
◆ Bettina, qual é o seu endereço aqui no Rio?
▲ Rua do Flamengo, 59.
◆ Por favor, qual é o número do seu telefone?
▲ O meu telefone é 24 55 67 77. Não, não, não. Puxa, eu não sei o meu número. Um momento… ah, agora eu sei. O número é 24 45 76 67.
◆ 24 45 76 67
▲ Certo.
◆ Agora, só mais uma pergunta: Você tem e-mail?
▲ Tenho, sim: bett@terra.com.br.
◆ Um momentinho… Pronto, aqui, a sua ficha.

19 Nome: Bettina, Nacionalidade: austríaca, Profissão: estudante, Telefone: 24 45 76 67, E-mail: bett@terra.com.br, Idade: 21–30 anos

20 *solução livre*

21 a. Te̲resa te̲m namora̲do. b. Eles tra̲balham nu̲ma fi̲rma france̲sa.

23 c. ?, d. ., e. ., f. ?, g. ?, h. .

1 a. avô, b. tio, c. tio, d. neta, e. prima.

2 Eu me chamo Juliana. Minha família não é grande. Eu tenho só um **irmão**, o Daniel. Meus **pais** são professo-

Gabarito

res. Meu **pai** se chama Pedro e minha **mãe**, Rosa. O Pedro tem um **irmão**, o José, que é casado com a Célia. Eles têm um **filho**, o Marcos. Meu **irmão**, o Daniel, tem 13 anos, eu tenho 11 anos e meu **primo**, o Marcos, tem 12 anos. Meus **avós** são muito simpáticos: meu **avô** se chama Antônio e minha **avó**, Eliana.

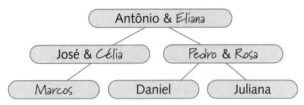

3 a. filho, neto, primo, sobrinho, b. mulher, mãe, avó, c. mulher, tia, mãe
4 b. suas, minhas, se chamam Gabriela e Sueli. c. sua, Minha neta se chama Lina. d. seu, Meu irmão tem
5 a. minhas, sua, Paulo, b. sua, seu, meu, Sandra, c. Sua, minha, minha, Fernando
    d. seu, dele, deles, Helga
6 b. vive, c. vivem, vivem, d. é, é, parece, É, e. vivem, Vivemos, f. aprende, aprende
7 *solução livre*
8 b. Ela, dela, c. Ele, dele, d. Eles, deles, e. Elas, delas, f. dele, g. deles, i. seu, j.sua
9 b. seu, meu, dele, c. seus, minha, dela, d. suas, meu, dele.
10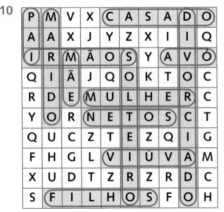

11 *solução livre*
12 *solução livre*
13 b. 5, c. 1, d. 6, e. 3, f. 2
14 a. loiro/-a, b. baixo/-a, c. magro/-a, d. pacato/-a, e. triste, f. tranquilo/-a, g. feio/-a, h. divertido/-a
15a *solução-modelo*
    1. Angélica é simpática e muito divertida. 2. Maria é muito aberta e dinâmica. 3. Josias é sério e tranquilo.

15b

Transcrição

◆ Ana, quem são estes aqui?

▲ Ah, são meus amigos. Olha, esta é a Angélica. Agora ela tem cabelos longos e está um pouco gorda. É por causa do bebê.

◆ É uma morena muito bonita. E parece muito simpática.

▲ É verdade. E ela é muito divertida.

◆ E esta loira...?

▲ Esta é a minha vizinha, a Maria. Ela é muito aberta e alegre. Ela é baixinha, mas é muito dinâmica.

◆ E este magrinho, de cabelos curtos ? Nossa, como ele é alto!

▲ É o Josias. Agora ele tem barba e bigode. É sério e tranquilo e está sempre elegante.

16 *solução livre*
17b *solução-modelo*
    As vogais nasais são indicadas na escrita:
    • pelo til (~): *amanhã*, *irmã*, *maçã*;
    • pelo ***n*** após uma vogal: *dança, onze, **setenta**, **vendemos***;
    • pelo ***m*** após uma vogal: *berimbau, **compra**, **tempo***.
    O *m* em final de palavra indica sempre que as vogais anteriores ***i**, **o**, **u*** são nasalizadas: *sim, bom, num, com, um*. Os lábios permanecem entreabertos.

18b *solução-modelo*
    Em palavras como as do exercício 18a, as vogais das sílabas sublinhadas são nasalizadas. Isto ocorre quando
    • a sílaba é tônica, por exemplo: *dinâmico, **chama**, **nome***
    • e a sílaba seguinte começa com ***m** (**-ma**, **-me**, **-mi**, **-mo**, **-mu***) ou *n* (***-na**, **-ne**, **-ni**, **-no**, **-nu***), por exemplo: *chama, moramos, **nome**, **dinâmico**, telefone, **semana**, **ano***.

19 a. Antônio é uma pessoa dinâmica.
    b. Nós aprendemos dança há uns cinco meses.
    c. Juliana e sua irmã têm um berimbau bom.
    d. Dona Angélica tem uns cinquenta anos.

Revisão 1 – Teste 1b, 2c, 3a, 4c, 5a, 6a, 7c, 8b, 9a, 10a, 11b, 12a, 13a, 14c, 15c

Lição 4

1 a. querem, b. querem, queremos, c. quer, d. quer, quero, e. quer, quero
2 b. outubro, c. viagem, d. pessoas, e. plantas
3 a. visitar, b. estudar, c. conversar, d. viajar, e. estágio, f. compras, g. curso, h. turismo
4 a. Elas vão ficar seis meses em Curitiba.
    b. Nas férias nós vamos viajar pelo Brasil.
    c. Vou fazer um curso de português de três meses.
    d. Sara vai conhecer a família do namorado dela.
5 a. em maio, b. *solução livre*, c. *solução livre*, d. em fevereiro ou em março, e. em maio, f. maio, junho, julho, agosto
6 a. no, em, b. para, em, c. para, com, nas, d. pelo, para, e. com, f. de, na, g. pela, para
7a a. 4, b. 3, c. 1, d. 2

7b

Nome	Por quê?	Para onde vai?	Quando (em que mês)?
a. Petra	vai fazer um estágio num hospital	São Luís	janeiro
b. Ursula + marido	vai visitar o filho, vai ficar dois meses	São Paulo	outubro
c. Bernard	participar de um workshop de música	Belo Horizonte	fevereiro
d. Joseph	vai estudar um semestre na UFRJ	o Rio de Janeiro	fevereiro

Transcrição

1. ▲ Sou alemã, estudante de medicina e meu nome é Petra. Em janeiro vou fazer um estágio num hospital em São Luís. Vou ficar na casa de uma colega brasileira e lá só falam português.
2. ◆ Sou a Ursula Beck. Eu e meu marido somos aposentados e moramos em Viena. Em outubro queremos visitar nosso filho que mora em São Paulo. Ele trabalha numa firma lá. Vamos ficar uns dois meses no Brasil. Por isso queremos aprender português.
3. ✤ Interesso-me muito pela música e cultura brasileira. Nas férias, em fevereiro, vou para Belo Horizonte para participar de um workshop. O tema, é claro, é a música popular brasileira. Ah, meu nome é Bernard e sou francês.
4. ✤ Sou suíço. Meu nome é Joseph. Sou estudante de engenharia. Aprendo português porque quero estudar um semestre na Universidade Federal do Rio de Janeiro. Vou para lá em fevereiro.

8 *solução livre*
9 a. *3*, 4, b. 6, c. 1, 2, d. 3, e. 1, 5, f. 1, 5, g. 2, h. 4
10 b. quer, pode, banca de jornais, c. querem, podem, banca de jornais, d. queremos, podem, padaria, supermercado, e. queremos, podem, correio
11a diálogo 1: no correio, diálogo 2: na farmácia, diálogo 3: na banca de jornais
11b a. R$ 5,70, b. R$ 8,90, c. R$ 4,00

Transcrição

1. ◆ Bom dia. Para a Alemanha?
   ▲ Bom dia. É, sim. Para a Alemanha, por favor.
   ◆ Bem, três cartões para a Alemanha, R$ 5,70.
   ▲ Por favor, a carta, quanto é?
   ◆ Para a Alemanha?
   ▲ É.
   ◆ Também R$ 1,90, até 20 gramas.
   ▲ Obrigada.
   ◆ De nada.

2. ▲ Bom dia. Eu queria aspirinas.
   ◆ Aspirinas, caixa de 10 ou de 20?
   ▲ De 10. Quanto é?
   ◆ R$ 8,90. Pode pagar na caixa.
3. ◆ O senhor tem selos?
   ▲ Não, selos só no correio.
   ◆ E tem água mineral?
   ▲ Sim.
   ◆ Quanto é?
   ▲ R$ 1,50.
   ◆ Bem, vou levar duas. Ah, e estes cartões-postais também.
   ▲ R$ 3,00 da água mais dois cartões, são R$ 4,00. Bem, um, cinco, dez. Obrigado e até logo.
   ◆ Até logo.

12 1. ▲ Eu queria um guia do Brasil. Vocês têm?
   ◆ Temos, sim.
2. ▲ Quanto é?
   ◆ R$ 32,00. É tudo?
3. ▲ Eu queria um mapa da cidade também.
   ◆ Temos só este tipo.
4. ▲ Quanto custa?
   ◆ R$ 8,00.
5. ▲ Está bem, eu vou levar um.
   ◆ Muito bem, o guia e o mapa, são R$ 40,00.

13 a. Já foi atendida?
b. (Vocês) têm jornais chilenos?
c. Quanto custa o CD / este CD?
d. Mais alguma coisa? / É tudo?
e. Quanto custam as camisetas?

14 *solução-modelo*
a. Eu queria ver sandálias havaianas. b. Vocês têm jornais estrangeiros? c. Quanto custa o colar? d. Obrigada, só queria olhar. e. Está bem. Vou levar os brincos de ametista.

15 a. bom, b. bonitas, pequenas, c. bonitos, caros, d. caros, boa

16 a. 1822, Independência do Brasil
b. 1492, Descobrimento da América
c. 1554, Fundação de São Paulo
d. 1789, Revolução Francesa
e. 1989, Queda do muro de Berlim
f. 1500, Descobrimento do Brasil

17 a. Quatrocen**tos** e trinta e **dois** hotéis. (**432**)
b. Duzen**tos** e vinte e u**m** mapas da América do Sul. (**221**)
c. Cento e d**uas** pousadas para estudantes. (**102**)
d. No guia: mil e u**ma** sugestões de compras. (**1001**)
e. Quinhen**tos** e cinquenta e d**ois** guias de viagens. (**552**)
f. D**uas** mil seiscen**tas** e setenta e u**ma** cidades. (**2671**)
g. O colar de ametista custa **dois** mil novecentos e sessenta e u**m** reais. (R$ **2961,00**)

18 a. R$ 509,00, b. R$ 259,00, c. R$ 295,00

Transcrição

◆ Bom dia! Quanto custa uma passagem de avião do Rio de Janeiro para Manaus?

▲ Deixe-me ver. Ah, aqui está: R$ 509,00. Este é preço de promoção da companhia.

◆ E de Salvador para o Rio de Janeiro?

▲ R$ 259,00.

◆ Uma última pergunta: e do Rio para Foz do Iguaçu?

▲ Custa R$ 295,00. Para onde o senhor quer ir?

◆ Ah, não sei ainda. Vou pensar mais um pouco.

▲ Quando o senhor quer viajar? Nós podemos fazer um plano.

◆ Muito obrigado. Vou pensar ainda. Depois eu passo aqui. Obrigado. Até logo.

▲ De nada. Até logo.

19 *solução-modelo*

Em final de palavra, as vogais nasais são indicadas na escrita:

• em sílaba tônica (sílaba acentuada), pelo til (~): *não*, **são**, **vão**;

• em sílaba átona (sílaba não acentuada), pelo *m*: *moram*, **falam**, **interessam**.

Em final de palavra, *-em* é sempre pronunciado como ditongo nasal (ẽj): *Belém* [belẽj], **também**, **viagem**.

21 a. Eles v<u>ão</u> <u>com</u>prar cart<u>õe</u>s-postais.

b. Elas com<u>em</u> dois p<u>ãe</u>s.

c. Os pais do Jo<u>ão</u> faz<u>em</u> uma viag<u>em</u> pelo Brasil.

d. Eles trabalh<u>am</u> <u>num</u>a firma alem<u>ã</u>.

e. Os se<u>nh</u>ores s<u>ão</u> alem<u>ãe</u>s?

f. N<u>ão</u> co<u>nh</u>eço os vizi<u>nh</u>os espa<u>nh</u>óis.

Lição 5

1 a. *vinho,* cerveja, b. abacaxi, papaia, c. pacote, garrafa, d. tomate, pepino

2 a. vou, b. precisam, precisamos, c. tem, tem, d. precisa, precisa, e. têm, precisamos

3 a. 1, leite, b. 1, azeitonas, c. 1, cerveja, d. 2, óleo, e. meio, carne, f. 250, queijo, g. 2, água, h. 1, ovos

4 abacaxi, laranjas, bananas, papaias, R$ 11,50

Transcrição

◆ Banana gostosa, gostosa! Bom dia.

▲ Bom dia. Hum… As papaias estão bonitas. Vou levar três.

◆ Não quer levar abacaxi também? Está muito gostoso. Quer provar?

▲ Hum, está gostoso mesmo. Quanto custa um?

◆ R$ 6,00.

▲ Está bem. Vou levar um. As laranjas parecem boas. Uma dúzia, por favor. E uma de bananas também.

◆ Mais alguma coisa? O melão está muito bom. Não quer levar?

▲ Não, não, mais nada. Quanto é tudo?

◆ Bem, as papaias… R$ 3,00; um abacaxi, R$ 4,00; as laranjas, R$ 3,00, a banana R$ 1,50. Tudo são R$ 11,50.

▲ Olhe aqui… Muito obrigada e até logo.

◆ Abacaxi pérola, docinho, docinho. Quem vai querer?

5 *solução livre*

6 a. água, b. suco, c. caipirinha, d. cerveja, e. limonada, f. vinho, g. batida, h. guaraná

7 b. de, c. com, d. com, e. de, f. com, g. com, h. de, com, i. de, com

8 a. Bebo, b. prefere, prefiro, c. Peço, pedir, d. serve, quero, e. come, prefiro, f. quer, prefiro

9 b. bem passado, c. frio, d. doce, e. com sede, f. gostoso, gostoso, g. salgado

10 a. são, são, b. está, está, c. está, Está, d. são, somos, e. Estou, estou, f. é, é

11 b. a faca, c. o garfo, d. a colher, e. o guardanapo, f. o copo, g. o pão, h. o sal

12 b

Transcrição

◆ Boa noite.

▲ Boa noite. Queria uma salada mista. Você também Lúcia?

❖ Não, hoje não.

◆ E o que mais?

❖ Eu queria o filé acebolado.

▲ E para mim, o camarão frito.

◆ E para beber?

❖ Quero um guaraná.

▲ Prefiro uma cerveja.

13 *solução-modelo*

a. Garçom, desculpe, falta uma colher.

b. Garçom, desculpe, falta um guardanapo.

c. Podia trazer mais uma cerveja, por favor?

d. Dois cafezinhos e a conta, por favor.

e. Por favor, podia trazer mais pão?

f. O que o senhor recomenda?

g. Eu quero (queria) uma salada de palmitos e o prato do dia.

14 b. sábado, segunda-feira, c. quarta-feira, d. quinta-feira, e. sexta-feira

15 b. alho, c. alface, d. vinho, e. cerveja

16 b. vamos almoçar, c. vão pedir, vou pedir, vou querer, d. vão beber, vou beber, vou tomar, e. vamos pedir, vamos ficar, f. vão fazer, vamos fazer

17 *solução-modelo*

a. Eu (não) gosto de cerveja.

b. Eu gosto (muito) de capirinha.

c. Eu (não) gosto da minha cidade.

d. Eu (não) gosto (muito) de comida chinesa.

e. Eu (não) gosto do cantor Chico César.

f. Eu (não) gosto (muito) da firma onde eu trabalho.

g. Eu gosto dos meus colegas de trabalho.

18 *solução livre*

19a [g] manga, legumes, gostoso

[ʒ] laranja, Juliana, gelo, Regina, hoje, José

19b *solução-modelo*

- Antes de **a**, **o** e **u**, a letra **g** é pronunciada [g] como no inglês **g**ood, por exemplo: *manga*, **pinga**, **legumes**.
- Antes de **e** e **i**, a letra **g** é pronunciada [ʒ] como no francês *génie*, por exemplo: *gelo*, **Regina**.
- A letra **j** é sempre pronunciada [ʒ] como no francês *génie*, por exemplo: *hoje*, **laranja**, **Juliana**.

19c [g] portuguesa, Guilherme, Guido, Miguel

20a [g] Guidinha, Diogo, Figueira, Guerra,

[ʒ] Geraldo, Sérgio

20b a. Hoje, a dona Gilda quer duas mangas e cinco laranjas.

b. A pinga do Bar Gil Guedes é gostosa.

c. A cerveja e o suco de maracujá são da adega portuguesa.

21 [g] Miguel, Guido

[gw] água, guaraná, guardanapo, língua

Lição 6

1 a. 4, b. 8, c. 1, d. 7, e. 2, f. 9, g. 3, h. 6, i. 5

2 b. duplo, c. praia, d. frigobar, e. vista, f. montanha, g. manhã, h. hotel, i. piscina, j. centro, k. preços, l. apartamento

3 b. os hotéis modernos, c. os ônibus confortáveis, d. os apartamentos simples, e. os jardins agradáveis, f. os preços especiais, g. meses

4 a. vista, b. serviço, servem, c. famílias, familiar, d. tranquilidade, tranquilo, e. gosta, gosto, gosto

5 a, c, d, e

6 *solução livre*

7 a. sétimo andar, b. terceiro andar, c. último andar

Transcrição

◆ Aqui está a chave, número 706. O apartamento fica no sétimo andar. O café da manhã é servido no terceiro andar.

▲ Muito obrigado. Ah, em que andar é a piscina?

◆ A piscina? É no décimo, no último andar. E a sauna também.

▲ Obrigado.

◆ De nada. Boa noite.

▲ Boa noite.

8 *solução-modelo*

apartamento duplo standard, telefone: 11 6567 3838, data de chegada: 23/3, data de saída: 27/3

Transcrição

◆ Boa tarde, Pousada Vila Rica, pois não?

▲ Boa tarde. Queria fazer uma reserva de apartamento.

◆ O senhor quer um apartamento simples ou duplo?

▲ Duplo. Quanto é que custa?

◆ O standard custa R$ 170,00 e o luxo, R$ 220,00. Com vista para o mar.

▲ O standard está bom.

◆ Para quando?

▲ Para 23 a 27 de março, quatro noites.

◆ Quatro noites. De 23 a 27, certo?

▲ Certo.

◆ Qual é o seu nome, por favor.

▲ Fábio Silveira.

◆ Pode dar o número de telefone e a cidade?

▲ 11-65673838. São Paulo.

◆ Muito bem, senhor Fábio. Está reservado.

▲ Até logo.

◆ Até logo.

9 Sequência: a. 4, b. 2, c. 1, d. 3, Marina Ribeiro: c, d, Funcionário do hotel: a, b

10 b. podemos, pode, c. Posso, pode, d. podem, e. Posso

11 a. 4, b. 1, c. 6, d. 8, f. 5, g. 3, h. 7

12 b. ocupados, c. claro, d. barulhenta, e. quente, f. caro, caro

13 *solução livre*

14 a. estou, b. é, é, c. está, está, d. é/fica, É/Fica, e. estão, estão, f. está, Está, está, g. é/fica, é/fica

15 b. Nós estamos aprendendo português.

c. Eles estão fazendo uma caminhada na fazenda.

d. Ela está escrevendo um e-mail para a mãe.

e. Eles estão assistindo ao jogo (assistindo o jogo) Brasil-Argentina na televisão.

16 a. 4, b. 1, c. 2, d. 3

Transcrição

1. ▲ Onde estão Marcos e a Adriana? O que é que eles estão fazendo?

   ◆ Ah, eles estão na praia. Eles estão tomando sol.

2. ▲ Carlinhos… ei, Carlinhos…

   ◆ O que é que é?

   ▲ Vocês estão jogando bola aqui! É que aqui não pode. Vão jogar na praia.

   ◆ Tá bem, tá bem, já vamos…

3. ◆ Ai, meu Deus! Este vizinho aí está ouvindo esta música horrorosa e o som está tão alto. Por favor, pode abaixar a música?

   ▲ Ah, desculpe, vou abaixar.

4. ◆ Alô? Oi, mãe! Ah, estamos muito bem. Sim… Sim, sim… Onde é que estamos agora? Estamos aqui no hotel, na piscina. Como…? O que é que estamos fazendo…? Bem… a Joana está lendo um livro e o André está bebendo uma caipirinha. É… estamos, sim. Aproveitando bastante. Tá, tá tudo

Gabarito

bem aqui. E vocês? Tudo bem aí? Que bom!
Obrigada pelo telefonema. Tá, tá. Tudo bem.
Então tchau, mãe. Beijinhos. Tchau.

17 *solução livre*

18a [k] c̲asa, histório, cus̲ta
[s] crianç̲a, c̲entro, pisc̲ina, serviç̲o, aç̲úcar, recepç̲ão

18b *solução-modelo*
- Antes de *a*, *o* e *u*, a letra *c* é pronunciada [k] como no inglês *card*, por exemplo: casa, **histórico**, **custa**.
- Antes de *e* e *i*, a letra *c* é pronunciada [s] como no francês *France*, por exemplo: *centro*, **piscina**, *você*.
- A letra *ç* é sempre pronunciada [s] como no francês *France*, por exemplo: *serviço*, *criança*, *açúcar*.

18c [k] q̲uem, arq̲uitetura, porq̲ue, q̲uinze, peq̲ueno, q̲ueijo, Joaq̲uim

19 a. C̲unha   e. q̲ue   i. C̲ecília
b. aq̲ui   f. condic̲ionado   j. q̲uente
c. preç̲o   g. lembranç̲as   k. tradiç̲ão
d. ofereç̲er   h. chiq̲ue   l. març̲o

20 [k] q̲ueremos, arq̲uitetura, q̲uente
[kw] q̲uanto, q̲uando, q̲uarto, q̲ual

Revisão 2 – Teste 1b, 2b, 3b, 4c, 5b, 6b, 7c, 8c, 9b, 10b, 11c, 12b, 13a, 14b, 15c, 16c, 17b, 18b

Lição 7

1 b. o jantar, c. o almoço, d. o jornal, e. o almoço, f. o trabalho, g. o hotel, h. tarde

2 *solução-modelo*
1. Vera acorda cedo.
2. Ela toma o café da manhã em casa.
3. Trabalha no escritório.
4. Almoça sozinha.
5. Faz ginástica de tarde.
6. Toma banho.
7. Janta com a família.
8. Lê o jornal.
9. Vai dormir.

3 a. vou, b. trabalho, faço, c. tenho, vou

Transcrição
- Rafael, como é seu dia a dia?
- Bem, eu estudo e trabalho. Aí, sabe como é, tenho pouco tempo, né.
- Então, como vai ser o seu dia amanhã?
- Amanhã é quinta-feira, não é? Hiii! Amanhã faço muitas coisas.
- Ah, é? O que é que você faz de manhã?
- Bem, acordo muito cedo para estudar e depois vou à faculdade.
- E de tarde?
- De tarde trabalho numa biblioteca. Depois faço ginástica na academia.

- E de noite?
- Olha, de noite tenho aulas de inglês e depois da aula vou a um bar com meus amigos.
- Puxa, então você vai dormir tarde.
- É. Na quinta, vou dormir muito tarde.

4 b. São sete e vinte. c. São cinco e meia / cinco e trinta. d. São duas e dez. e. É uma e quinze. f. São seis e quarenta / vinte para as sete. g. São nove e vinte e cinco. h. São oito e quarenta e cinco / quinze para as nove.

5 *solução livre*

6 b. 6, c. 8, d. 7, e. 9, f. 1, g. 4, h. 2, i. 3

7 ◆ Fernando, como é seu dia a dia?
▲ É bem… bem normal. Nada de especial.
◆ E você podia pra gente um pouco como é sua rotina?
▲ Claro. Olha, **tenho** um posto de gasolina. Meu dia **começa** cedo. **Acordo** lá pelas 6:00 horas e **corro** com os vizinhos mais ou menos uns 40 minutos. Aí **volto** para casa, **tomo** banho e em seguida **tomo** o café da manhã com minha mulher. Depois do café da manhã **vou** para o posto. **Começo** a trabalhar às 7:30. De manhã **leio** os e-mails, **faço** telefonemas. Às vezes **faço** uma reunião com os empregados. Antes do almoço, geralmente ***vou*** ao banco. Lá pela 1:00, minha mulher e eu **almoçamos** num restaurante. Em geral **trabalho** até as 6:00 horas. Aí **tenho** aula de ioga com minha vizinha. Lá pelas 7:30 **janto** com minha família. Antes de dormir **leio** um pouco o jornal ou **vejo** televisão. Geralmente **vou** dormir à meia-noite.

8 b. antes do, c. depois do, d. depois de, e. antes de

9 *solução-modelo*
b. Acordo às 7.
c. Volto para casa *lá pelas* 5.
d. Tomo o café da manhã *lá pelas* 9.
e. Começo a trabalhar *ao meio-dia*.
f. Vou dormir *às* 11.

10

S	S	D	U	R	M	O
F	A	Ç	O	M	M	N
I	I	I	R	M	N	T
S	O	U	L	G	T	E
H	D	H	Z	E	R	N
V	E	J	O	Q	I	H
Z	V	O	U	T	B	O

11 a. dorme, durmo, b. vai, vou, c. faz, faço, d. lê, leio, vejo, e. sai, saio

12a b. Quando / A que horas você começa a trabalhar?
c. Quando / A que horas você volta para casa?
d. O que você faz de tarde?
e. O que você faz antes de dormir?
f. Quando / A que horas você vai dormir?
g. O que você faz?, padeiro, numa padaria.

12b

Transcrição

◆ Chico, a que horas você se levanta?

▲ Eu me levanto muito cedo. Às 3 horas.

◆ Nossa, tão cedo? Quando você começa a trabalhar?

▲ Às 3:30.

◆ A que horas você volta para casa?

▲ Volto lá pelas 11:30.

◆ O que você faz de tarde?

▲ De tarde não trabalho. Geralmente durmo um pouco.

◆ O que você faz antes de dormir?

▲ Antes de dormir, vejo um pouco de televisão.

◆ A que horas você vai dormir?

▲ Vou dormir lá pelas 8 horas.

◆ O que você faz?

▲ O que eu faço? Bem, sou padeiro. Trabalho numa padaria.

12c b. Às 3:30 da manhã (da noite). c. Às 11:30 da manhã. d. De tarde. e. De tarde. f. Lá pelas 8 da noite. g. De noite.

13 *solução livre*

14 a. Eu não arrumo nem limpo a casa.
b. Nunca passo roupa./Não passo roupa (nunca).
c. Eu não tomo (nem) chá nem café.
d. Nunca faço as compras, porque não tenho tempo./Não faço as compras (nunca), porque não tenho tempo (nunca).
e. Vera nunca cozinha nos fins de semana./Vera não cozinha nos fins de semana (nunca).
f. Não jogo futebol nem faço ginástica.

16 b. todos os dias (de manhã), c. muitas vezes, d. nunca, e. geralmente, f. muitas vezes (no domingo), g. geralmente (no sábado), h. sempre, i. às vezes

17 *solução-modelo*
b. Visito meus amigos …
c. Faço compras no supermercado …
d. Jogo futebol …
e. Vou à aula de português …
f. Vou ao Brasil …
g. No domingo cozinho …
h. Vejo televisão de manhã …

18 *solução livre*

19 a. As sílabas sublinhadas são *tônicas*.
b. A letra *e* em sílabas átonas em final de palavra é pronunciada [i], por exemplo: *nome*, **quinze**.
c. A letra *o* em sílabas átonas em final de palavra é pronunciada [u], por exemplo: *cedo*, **sozinho**.

20a [d] pa<u>d</u>aria, <u>D</u>oroteia, <u>d</u>uas, po<u>d</u>em
[dʒi] <u>d</u>ia, <u>d</u>isco, po<u>d</u>e, tar<u>d</u>e, on<u>d</u>e

20b • Antes de *a*, *o* e *u* a letra *d* é pronunciada [d] como no inglês *democracy*, por exemplo: *cedo*, *padaria*, *duas*.
• A sílaba *di* é pronunciada [dʒi] como no inglês *jeans*, por exemplo: *dia*, *disco*, *dizer*.

• De acordo com a regra 19b, em sílaba átona em final de palavra, *e* é pronunciado [i]. Portanto, *de* em *pode*, *tarde*, *onde* é pronunciado como *di* [dʒi]. Outros exemplos: *faculdade*, *de onde*, *vende*.
• Se *de* ocorre em sílaba tônica ou é nasalizado, *d* é pronunciado [d] como no inglês *democracy*, por exemplo: *podemos*, *podem*, *dentista*.

21a [t] visi<u>t</u>a, disco<u>t</u>eca, <u>t</u>omar, repe<u>t</u>em, <u>t</u>udo
[tʃi] giná<u>t</u>ica, coopera<u>t</u>ivo, noi<u>t</u>e, geralmen<u>t</u>e

21b • Antes de *a*, *o* e *u* a letra *t* é pronunciada [t] como em *táxi*, por exemplo: *visita*, *tomar*, *tudo*.
• A sílaba *ti* é pronunciada [tʃi] como em *tchau*, por exemplo: *ginástica*, *cooperativo*, *repetimos*.
• De acordo com a regra 19b, em sílaba átona em final de palavra, *e* é pronunciado [i]. Portanto, *te* em *noite*, *geralmente* é pronunciado como *ti* [tʃi]. Outros exemplos: *interessante*, *estudante*.
• Se *te* ocorre em sílaba tônica ou é nasalizado, *t* é pronunciado [t] como em *táxi*, por exemplo: *discoteca*, *repetem*.

Lição 8

1 b. interessante, c. simpática, d. tranquilo, e. antiga, f. limpo

2 b. o, bares, c. o, cinemas, d. a, estações, e. o, hotéis, f. o, parques, g. a, praças, h. a, ruas, i. a, igrejas, j. o, climas, k. o, restaurantes, l. o, museus

3 *solução livre*

4 Oi, todos de casa,
Estou agora na capital de Santa Catarina, Florianópolis, que os habitantes daqui chamam de Floripa. É uma cidade que tem praias lindas! É dinâmica e moderna com muitos teatros e cinemas. Mas tem também casas e igrejas antigas que lembram a época colonial. Tem um mercado muito interessante, antigo e famoso. Vale a pena conhecer Florianópolis. Aqui há um bar que se chama Ponto Chic. É o ponto de encontro de muitas pessoas que vão lá para conversar sobre política, futebol, música, etc. Parece que o bar é muito animado. Vou lá hoje com amigos. Depois conto como é.
Beijos,
Diva

5 c. por causa do, d. porque, e. por causa das, f. porque, g. por causa dos, h. porque

6 *solução livre*

7 d. A Mônica está atrás do museu. f. Está na praça. h. Está na esquina. a. Está entre o correio e o bar. c. Está em frente do banco. b. Está ao lado da escola. g. Está perto da praça. e. Está longe da praça.

8 a. está em frente do Bar Jotas. b. é/fica, é/fica na rua Jari, na esquina com a Avenida Ipanema (com a rua Jari). c. Tem/Há, Tem/Há, em frente do Bar Jotas. d. está, está atrás do Cine Arte.

9

Você está aqui.

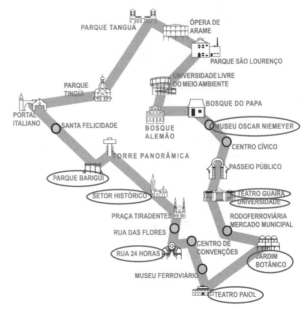

10 c, f, a, e, d, b, g

11 a. segue, vira, b. segue, anda, c. vai, vira, vai, vira,
d. Segue em frente, vira na esquina à direita e anda uns
50 metros. Fica na outra esquina.

12 22

13

Transcrição

O homem: É simples. Pega a rua Tietê e vai em frente.
Na primeira rua, na rua Flamengo, vira à esquerda. Se-
gue em frente. Atravessa a primeira rua e vai em frente.
O shopping center fica na segunda rua, na esquina.
A mulher: O quê? Não é assim. Olha é assim: Pega esta
rua, a Iguaçu, e vai em frente. Na segunda rua vira à
direita. Esta é a rua Ipanema. Então segue em frente.
Atravessa a rua Flamengo. O shopping fica logo na
esquina, à sua direita.
Ambas descrições levam ao destino: o shopping center.

14 *solução livre*

15 a. Natura Comésticos, de trem, b. José, analista de siste-
mas, Banco do Brasil, de metrô, c. Tina, enfermeira,
Hospital Samaritano, a pé, d. Marisa, administradora,
Hotéis Paraíso, de carro, e. Cecília, engenheira, Deca
Elétrica, de bicicleta

16 *solução livre*

17

Transcrição

Caros visitantes, bom dia. O ônibus da Linha Turismo cir-
cula pelos principais pontos turísticos da cidade de Curitiba. Esta rua que estão vendo é a rua 24 horas, uma rua
que nunca fecha. Ela funciona 24 horas. Os habitantes
da cidade e os turistas vêm aqui para se divertir, fazer
compras e ir a restaurantes e bares. Aqui é o centro histórico da cidade com suas igrejas antigas, suas grandes
casas antigas e restauradas. Muitas delas hoje são cen-
tros culturais. Curitiba é uma cidade famosa pelos
parques. Passamos agora pelo parque Barigui, um verda-
deiro refúgio de animais nativos e migratórios. Os habitantes de Curitiba gostam muito desse parque. Eles vêm
para caminhar e também para fazer ginástica, pois há
muitos equipamentos para ginástica. Este belíssimo prédio, chamado de "o olho", é o museu Oscar Niemeyer. É
um projeto dele. Parece mesmo um olho, não é? Vejam
as curvas e a rampa que são as marcas da arquitetura de
Oscar Niemeyer. Estamos agora na praça Santos de An-
drade. De um lado vemos o Teatro Guaíra, um dos maiores do Brasil. No teatro há apresentações de música, teatro e dança. Do outro lado é a Universidade Federal do
Paraná. Esta grande construção de estrutura metálica é o
Jardim Botânico. Aí estão as plantas de todo o Brasil. É
muito interessante e vale a pena visitar. O próximo ponto
é o famoso Teatro Paiol que os curitibanos…

18a como [u]

18b *solução-modelo*
colonial, agradável, futebol, hospital, sinal, fácil

19a traba**lh**o, fi**lh**a, ve**lh**inho, esco**lher**, ma**lh**a, o**lh**a,
como llama (espanhol)

19b *solução-modelo*
Carvalho, vermelha, colher, ilha, grelhado

20a pronunciado como ***sh**opping*

20b *solução-modelo*
chefe, cachaça, chance, cheio, cheiro

Lição 9

1 a. jogar futebol, voleibol, tênis, cartas, b. tocar violão,
flauta, piano, bateria, samba, forró, c. fazer um passeio,
ginástica, esporte, comida árabe, d. dançar samba,
forró, e. cozinhar comida árabe

2 *solução livre*

3 b. O Pedro lê livros. c. A Marta nada. d. Os amigos

fazem um passeio (passeios). e. O pai brinca com o filho. f. A Betina toca flauta. g. A Márcia e o marido ficam em casa. h. João anda de bicicleta.

4 b. toca, toca, c. joga, jogo, d. brincar, e. toca, toco, f. toca, g. está brincando

5 a. V, b. F, c. V, d. V, e. F, f. V, g. F, h. F, 1. V

6 b. De manhã Edson corre das 6 às 7. e. Edson quer correr na São Silvestre de São Paulo. g. Eles cantam também jazz e, às vezes, música clássica. h. O coral é só às quintas.

Transcrição

◆ Rádio Oi, Brasil, Lili Braz com vocês ao vivo para mais uma tarde juntos! Caros ouvintes, como anda o seu lazer? O que você faz nas horas de lazer? Bem, esse é o nosso tema de hoje. E vamos começar com o nosso programa sobre lazer com algumas entrevistas. Estou com dois ouvintes na linha…

Entrevista 1

◆ Como é o seu nome?
▲ Edson.
◆ Edson, você tem algum hobby?
▲ Bem, faço esporte. É hobby, não é?
◆ Ah, sim, claro. Que esporte faz?
▲ Bem, eu corro.
◆ Quantas vezes por semana?
▲ Corro, agora, todos os dias. De manhã das 6 às 7 e de tarde das 5:30 às 7, mais ou menos.
◆ Porque todos os dias? Não é muito?
▲ É porque quero correr na São Silvestre em São Paulo. E faço academia também, duas vezes por semana, de noite.
◆ Muito obrigada, Edson. E sucesso para você na São Silvestre.
▲ Obrigado.

Entrevista 2

◆ E você, qual é o seu nome?
▲ Heloísa.
◆ Heloísa, qual é o seu hobby?
▲ Eu canto no coral da faculdade.
◆ E o que vocês cantam?
▲ É mais música popular brasileira e jazz. Às vezes música clássica também.
◆ Quantas vezes por semana?
▲ Uma vez só, às quintas, de noite. É uma pena, podia ser mais vezes.
◆ Ah, é? Por quê?
▲ Sabe, é muito bom, me faz um bem tão grande. Adoro cantar. Podia cantar todos os dias.
◆ É, cantar é realmente muito bom, Heloísa, muito obrigada.
▲ De nada.
◆ Eu também gosto de cantar, *olha que coisa mais linda, mais cheia de graça…* Cantar faz muito bem! Vamos escutar agora …

7 *solução livre*

8 b. sabe, c. pode, posso, d. podem, e. sabe, f. sabe, sei, sabe, g. posso, h. sabe

9

Transcrição

1. ◆ Alô!
   ▲ Bom dia. A Dora está por favor?
   ◆ Bom dia. Ela não está. Quem quer falar com ela?
   ▲ É o Paulo.
   ◆ Ela só volta à noite. Você quer deixar recado?
   ▲ Não, obrigado. Eu telefono mais tarde. Até logo
   ◆ Até logo.
2. ◆ Alô?
   ▲ Bom dia. Por favor, queria falar com a Juliana.
   ◆ Juliana?
   ▲ Sim, com Juliana Mendes. Ela está?
   ◆ Olhe, aqui não tem nenhuma Juliana.
   ▲ Ah, desculpe, foi engano.
   ◆ Não tem importância.

10 a. com vocês, b. com ele, c. comigo, com você, d. para mim, comigo/para mim, para nós, e. Para eles, para mim

11 b. Nós, c. A gente, Nós, d. A gente, Nós, A gente e. a gente, f. A gente

12 a. se encontrar, b. se encontra, c. nos encontramos, nos encontrar

13 *solução livre*

14 a. o passeio, b. participar, a participação, c. visitar, a visita, d. canta, as canções

15 assiste, b. assistem, c. dividimos, d. assistem, e. discutem, f. abre

16 b. De quem é a exposição? c. Onde é a exposição? d. Sobre o que é a exposição? e. Em que dias da semana? f. No domingo também? g. É um fotógrafo e etnólogo autodidata. (Paris 1902 – Salvador 1996)

17a a

17b Nome: Mário Silva, Dia: hoje à noite, Hora: 17 horas, Número de pessoas: quatro, Preço: R$ 10,00.

Transcrição

▲ Teatro Castro Alves, bom dia.
◆ Bom dia. Queria fazer uma reserva de quatro lugares para o show de hoje à noite.
▲ Para as 17 horas ou para as 20 horas?
◆ Para as 17, por favor.
▲ Em nome de quem?
◆ Mário Silva. Quanto custa a entrada?
▲ R$ 10,00 cada.
◆ Obrigado e até logo.
▲ Até logo.

18 *solução livre*

19a [s] saber, vamos, posso, vez
[z] visita, zebra, fazer

Gabarito

19b • Em início e final de palavra e como *ss*, a letra *s* é pronunciada [s] como no inglês *sale*, por exemplo: *saber*, **pessoa**, **cinemas**, **horas**.

• Em final de palavra a letra *z* é pronunciada [s] como no inglês *sale*, por exemplo: *vez*, *faz*, *diz*.

• Entre vogais a letra *s* é pronunciada [z] como no inglês *zero*, por exemplo: *visita*, **aposentado**, **casa**, **Brasil**.

• Em início de palavra e entre vogais, a letra *z* é pronunciada [z] como no inglês **zero**, por exemplo: *zebra*, *dizer*, **zona**, **Zeca**, *cozinhar*.

20a [r] caro, cantora
[h] correio, Rio, rua

20b • Entre vogais, a letra *r* é pronunciada com um movimento vibratório rápido na ponta da língua, por exemplo: *caro*, **cultura**, *raramente*.

• Em início de palavra e como *rr*, a letra *r* é pronunciada [h] como no inglês **have**, por exemplo: *Rio*, *correio*, **Roberto**, **recado**, **corremos**, **Reno**, **real**, *carro*.

Revisão 3 – Teste 1b, 2b, 3a, 4c, 5c, 6b, 7c, 8c, 9b, 10c, 11a, 12c, 13a, 14a, 15b, 16c, 17b, 18b

Lição 10

1 a. 4, 1, b. 6, c. 1, d. 5, e. 2, g. 3

2 b. voltar, voltei, c. ter, tive, d. fazer, fiz, e. ligar, ligou, f. ler, li, g. ir, fui, h. dormir, dormiu, i. ter, tive

3 b. leu, c. levou, d. atendeu, e. foi, f. fomos, g. terminou, h. trabalhou, i. dormi, j. ficamos, k. almoçou, l. Telefonaram

4 a. almocei, b. almoçaram, almoçamos, c. liguei, d. ficou, fiquei

5 b. Ficamos, sim. c. Dormimos, sim. e. Fomos, sim. e. Fizemos. f. Saímos. g. Lemos.

6 a. foi, b. teve, c. fez, d. gostou, e. viu, f. foi, g. bebeu

7 a. V, b. V, c. F, d. F, e. V, f. V, g. V

Transcrição

◆ Oi, Lena. Como foi o fim de semana?

▲ Nada de especial. Fiquei em casa. E você, Regina?

◆ No domingo o João e eu fomos à praia.

▲ Ah, é? E como foi?

◆ Foi ótimo. Para mim é o melhor programa. Adoro uma praia! Saímos de casa bem cedo, antes das 7.00, e chegamos lá pouco depois das 8.00.

▲ Puxa, chegaram rápido!

◆ É. Foi muito rápido mesmo. O João nadou bastante, mas eu só tomei sol. Um solzinho gostoso… que só vendo…

▲ E quando vocês voltaram?

◆ Voltamos cedo, logo depois do almoço. Sabe, almoçamos num restaurante novo, bem simples, mas muito bom. Comemos um peixe excelente.

▲ Hum. Agora fiquei com vontade de comer peixe. Acho que…

8 Normalmente, … | Hoje, …

b. tomo o café da manhã na padaria. — tomei o café em casa.

c. não como nada. — comi pão com manteiga e frutas.

d. faço ginástica de manhã. — fiz ginástica de tarde.

e. tenho reunião de tarde. — tive reunião antes do almoço.

f. vejo futebol na televisão no sábado de noite. — vi um filme policial.

g. volto para casa depois do trabalho. — fui tomar chope com os colegas.

h. vou dormir cedo. — fui dormir tarde.

9 *solução livre*

10 a. Ontem a multinacional TAF fechou a fábrica de Ourinhos.

b. Dois mil fãs foram ao festival de música rap na semana passada.

c. O ator de teatro Paulo Autran morreu no ano passado.

d. Na copa de 2006 a Itália jogou contra a França e ganhou por 6 a 4.

e. No festival do folclore 150 000 pessoas visitaram Olímpia.

11 b. visitou, c. como, d. li, e. assistiu, f. faz, g. comecei, h. joguei

12 *solução-modelo*

Na semana passada tive uma reunião. Há 1 ano perdi dinheiro. Ontem perdi a hora. Na semana passada ganhei o jogo de xadrez. Há 2 dias cheguei atrasado ao trabalho.

13 a. já, b. ainda não, c. já, d. ainda não, e. ainda não

Transcrição

◆ Oi, Jorge, e os preparativos para São Lourenço?

▲ Bem, Cíntia, eu já perguntei aos colegas. Quer dizer, mandei um e-mail.

◆ Ah, sim? E quantos vão?

▲ Ainda não sei. Muitos não responderam ainda.

◆ E agora? Nós temos que procurar um hotel.

▲ Olha, já procurei. Pesquisei na internet. Achei dois que parecem muito bons. Um é muito bonito, mas só tem 8 apartamentos.

◆ Mas nós ainda não sabemos quantas pessoas vão. E quantos acompanhantes, também não sabemos.

▲ É, vamos esperar até sexta-feira para fazer a reserva. Até lá acho que todo o mundo já deu resposta.

◆ Agora, o transporte. Vamos precisar de um ônibus grande ou pequeno?

▲ Depende, né… de quantos vão.

◆ É, o mesmo problema. Mas olha eu já telefonei…

14 b. *Muitos ainda não* responderam ao e-mail. c. Jorge já procurou um hotel. d. Jorge ainda não escolheu o hotel. e. Jorge ainda não reservou os apartamentos.

15 b. Quando você foi à praia pela última vez? c. Que filme você viu? / O que você viu? d. Foi bom? / Como foi o fil-

me? e. Você já deu uma festa para mais de 30 pessoas?
f. O que é você fez (no feriado / ontem...)? g. Você foi
ao concerto? h. Quantas vezes você esteve em Portugal?

16 a. Ele nasceu no Rio de Janeiro. b. Ele tocou em bares e
boates. c. A música é *Chega de saudade*. d. As canções
são *Desafinado* e *Samba de uma nota só*. Foi em 1961.
e. Foi em 1962 com Vinícius de Moraes. f. Com 67 anos.

17 a. brasileira, b. 18 de abril de 1937, c. três anos, d. Londres, e. Stuttgart, f. 1962, g. Balé de Santiago de Chile,
h. 1987, i. em 1996

Transcrição

Seu nome completo é Márcia Haydée Salaverry Pereira
da Silva. Nasceu em Niterói, em 18 de abril de 1937.
Começou a ter aulas de balé clássico aos três anos. Com
quinze anos foi estudar balé em Londres. Com 20 anos
entrou na Companhia do Marquês de Cuevas. Em 1961,
mudou para o Balé de Stuttgart, então sob a direção de
John Cranko. Este teve um papel muito importante em
sua vida profissional. Um ano depois, em 1962, Márcia
Haydée tornou-se primeira-bailarina do Balé de Stuttgart. De 1976 a 1995, foi diretora do Balé de Stuttgart.
Foi também diretora do Balé de Santiago durante três
anos. Em 1987, com uma coreografia para "A Bela
Adormecida", iniciou sua carreira como coreógrafa. Encerrou sua carreira de bailarina do Balé de Stuttgart em
1996, mas continua ativa no mundo da dança. John
Cranko criou coreografias especiais para Márcia Haydée.
Ela também inspirou outros coreógrafos como Kenneth
Macmillan, Maurice Béjart e John Neumeier. Dançou em
quase todas as companhias importantes do mundo.
Teve como parceiros bailarinos famosos como Rudolf
Nureyew e Mikhail Baryshnikov. Márcia Haydée é, sem
dúvida, uma das grandes bailarinas do século 20.

18 *solução livre*

Lição 11

1 a. vestido, b. meias, c. sunga, d. bermudas , e. terno ,
f. algodão, g. couro, h. pulôver, i. camiseta, j. vendedora

2 b. calço/uso, visto/uso, c. visto/uso, calço/uso, d. visto/
uso, e. vestir/usar, f. vestem/usam, g. usam/vestem

3 b. verde, c. amarelo, d. preto, e. verde, f. laranja,
g. branco, h. marrom, i. cinza, j. vermelho

4 c. u**m** casac**o** ros**a**, d. d**ois** vestid**os** az**uis**, e. d**uas**
camis**as** ros**a**, f. d**ois** par**es** de me**ias** marro**ns**, g. u**m**
pulôve**r** marro**m**, h. d**uas** malh**as** laranj**a**, i.d**uas** calç**as**
cinz**a**

5a a. Dona Leonor, b. Cândida, c. Miriam

5b a. Name: D. Leonor, saia preta, semilonga, justa; casaco
de listras pretas, largo, b. Name: Cândida, saia estampada e saia branca, mais curta; blusa verde, sem mangas,
c. Name: Miriam, calça verde, bem justa; camiseta branca, casaco preto, largo, colar verde

Transcrição

▲ Sou jornalista da revista "Moda Hoje". Poderiam
responder a algumas perguntas?

◆ Sim, pois não?

▲ Vocês estão terminando o curso e vão apresentar um
desfile de modas, não é isto?

◆ Exatamente. Cada aluno está apresentando um
modelo.

▲ E qual é o seu?

◆ Olha, o meu modelo é a Miriam. Está vendo? Aquela
ali que está vestindo uma calça bem justa, na cor
verde, uma camiseta branca. Um casaco preto, bem
largo, e colar verde.

▲ Hum... A combinação de cores. Muito interessante.

❖ Sabe, a Lina gosta de chocar. Eu, não. Gosto do estilo
clássico.

▲ É mesmo? Seu nome é...?

❖ Meu nome é Tirso e meu modelo é a Dona Leonor.
Ela está com a saia preta semilonga e bem justa. E
está vestindo um casaco largo, de listras pretas.

▲ Realmente, seu modelo é mais tradicional e muito
elegante.

❖ Obrigado.

▲ E como é o seu nome?

❖ Meu nome é Carina. Bem, meu modelo é a Cândida,
aquela de vestido. Está vendo? São duas saias. Uma
saia é estampada. A saia de cima é branca, mais
curta. A blusa é verde, sem mangas.

▲ Hum, a blusa tem um detalhe muito original.

❖ Exatamente. É a parte mais original.

▲ Gostei. Vocês todos estão de parabéns. Olha, muito
sucesso para todos. Bom desfile. Muito obrigada
e até logo.

6 *solução livre*

7 b. muito, c. muito, d. muitos, e. Muitas, f. muito,
g. muitos, h. muito, i. muito, j. muita

8 c. Esta, esta, d. aquele, e. aquela, aquela, f. estas

9 a. 6, b. 5, c. 3, d. 4, e. 1, f. 7, g. 2

10 ◆ Boa tarde. Eu queria ver uma camiseta de algodão.

▲ Boa tarde. Qual é o seu tamanho?

◆ ....

▲ Que cor prefere?

◆ ....

▲ Que tal esta camiseta?

◆ Posso experimentar? Onde é o provador?

▲ Ali, à esquerda.

...

▲ Ah, a camiseta ficou muito bem!

◆ Também acho. Quanto custa?

▲ Custa R$ 89,00.

◆ Posso pagar com cartão de crédito?

▲ Sim, claro.

11 a. 4, b. 5, c. 7, e. 8, f. 3, g. 2, h. 6

12a a

Transcrição

▲ Neuza, olha lá! Liquidação na Sinhá! Vamos entrar e ver as ofertas?

◆ Oh… vestidos, camisetas, calças…

▲ Olha aqui, saias. Neuza, você não está precisando de saia? Que tal esta xadrez? Puxa, baratíssima.

◆ Mas é muito feia, Helena. E não gosto de xadrez.

▲ E esta aqui? O modelo é mais elegante.

◆ Ai que pena, não queria saia longa.

▲ Uhm… está difícil.

◆ Olha, Helena, gostei desta estampada. É tão barata como a xadrez, mas mais bonita.

▲ Mas, Neuza, a saia listrada é mais cara, mas é melhor. E também, a mais bonita das três.

◆ É mesmo. Bem, vou experimentar e depois você diz se está bom, tá?

12b a. V, b. F, c. F, d. F, e. F, f. V, g. F

12c *solução-modelo*

b. É mais cara que a estampada. c. É mais cara que a xadrez e a estampada. d. São menos caras que a listrada. e. É tão barata como a xadrez. g. É a mais cara das três.

13 b. interessantíssimo, c. caríssimas, e. feiíssimas, d. divertidíssimos, e. elegantíssimo

14 b. tão grandes como, c. maiores que, d. os maiores, e. melhor

15 *solução-modelo*

João é magro e o mais alto. Ele está vestindo um pulôver preto e acho que está calçando sapatos elegantes. Ele parece um pouco triste. Júlia é a mais gordinha e a mais alegre. Ela está vestindo uma blusa branca de mangas longas e uma calça escura. Helena é a mais nova. Ela é alegre e parece muito simpática. Ela está usando uma camiseta branca e uma saia preta.

16 a. Pode-se comprar bijuterias, tecidos, roupas, bugigangas, artesanato, eletrônicos, etc. b. Os preços são melhores do que nos shoppings e lojas em outros pontos da cidade. c. Nos dias normais circulam de 400 a 700 mil pessoas. No Natal, 1 milhão de pessoas. d. A historia da rua começou com a chegada dos imigrantes sírios e libaneses em 1894. e. As línguas são português, árabe, chinês, coreano e espanhol.

17 b. É o centro de comércio popular *mais* **tradicional** *de* São Paulo. c. São **os melhores** preços da cidade. d. **melhores** exemplos de integração de São Paulo. e. É uma das ruas **mais famosas de São Paulo**. f. São *as* roupas **mais baratas da cidade**.

18 a. saia, b. igreja, c. sapato, d. índios, e. eletrônicas

Lição 12

1 a. 5, b. 4, c. 2, d. 1, e. 7, f. 3, g. 6

2 a. 2, 4, c. 1, d. 3, e. 5

3 b. lendo, c. vendo, d. telefonando, e. comendo

4 a. aprontar, b. trabalho, trabalho, c. angústia, angustiadas, d. depressão, deprimido, e. estresse, estressado, f. encontrar, encontros

5 b. Não beba em excesso. c. Desacelere o ritmo de vida. d. Reduza as horas de trabalho. e. Viva sem estresse. f. Evite comer carne vermelha. g. Evite almoçar com pressa.

6 a. *eu leio* os resultados da pesquisa. b. eu durmo. c. eu divirto-me. d. eu saio de casa. e. eu faço ioga. f. eu vou ao cinema ou ao teatro. g. eu prefiro carne branca ou peixe.

7 b. Faça, c. divirta-se, d. Leia, e. saia, f. Prefira, g. Durma

8 **Aqueça** o corpo antes de começar a correr. **Vista** roupas confortáveis. **Use** sapatos especiais para correr. **Corra** num parque ou na floresta, de preferência, de manhã. Não **corra** ao meio-dia, quando o sol está forte. Não **corra** depois do almoço. **Faça** pausas a cada 15 minutos. **Beba** bastante água antes, durante e depois da corrida.

9a 1. carne vermelha, 2. ginástica/ioga/dança, 3. vinho tinto, 4. água

9b a. F, b. V, c. V, d. V, e. V, f. F

Transcrição

▲ Rádio Planalto, Nino Marchal mais uma vez com vocês, meus caros ouvintes! E como vai a sua saúde? Tem se alimentado bem? Hoje, no nosso quadro "Vida saudável", a nossa nutricionista Helena Mendes responde aos nossos ouvintes que telefonaram ou mandaram fax. Aqui estão as perguntas mais frequentes.

▲ A nossa ouvinte Carla dos Santos pergunta: "É verdade que a carne vermelha não é saudável? Não posso mais comer um bife grelhado?" Com a palavra a nutricionista Helena Mendes.

◆ Carla, você pode comer carne vermelha, mas prefira as partes mais magras. O filé é mais gostoso, mas tem mais gordura. Portanto não coma todos os dias.

▲ O nosso ouvinte José Pedro diz que faz ginástica três vezes por semana, mas continua tenso e nervoso. Ele pergunta o que deve fazer.

◆ José Pedro, fazer ginástica é bom. Continue com a ginástica. E por que você não começa a fazer ioga? Com a ioga você aprende a respirar e vai ficar menos tenso e nervoso. E você devia dançar também. A dança traz alegria à vida.

▲ O nosso ouvinte Josias Lemos ouviu dizer que beber vinho tinto é bom para o coração. O que você diz, Helena?

◆ É, alguns especialistas dizem que o vinho tinto é bom para o coração. Mas beba com moderação, um copo por dia.

- ▲ A ouvinte Paula Pereira pergunta: "Quem bebe 3 litros de água por dia? Eu bebo só um litro".
- ◆ Paula, é certo que tomar bastante água é importante, mas não precisa tomar 3 litros. A regra é 30ml por quilo. Portanto se você tem 50 kg você precisa tomar 1 litro e meio mais ou menos.
- ▲ Bem, chegamos ao fim do nosso programa. O nosso muito obrigado à nutricionista Helena Mendes.
- ◆ De nada.
- ▲ Agradecemos, em especial, aos nossos ouvintes que tomaram parte ativa no programa. Amanhã, à mesma hora…

10 *solução livre*

11 a. olho, b. nariz, c. boca, d. queixo, e. mão, f. braço, g. perna, h. joelho, i. dedo do pé, j. costas, k. ombro, l. pescoço, m. orelha, n. testa

12 b. (2) mão, c. (3) joelho, (16) doendo, d. (4) febre, (12) testa, (9) vermelho, (10) gripe, e. (5) costas, (18) pomada, f. (6) dente, g. (7) dor, (11) aspirina, h. (8) doutora, i. (13) doente, (15) ouvido, j. (14) garganta, (14) garganta, k. (16) doendo, (10) gripe, (20) remédio, (21) médico, (20) remédio, l. (19) barriga, (17) diarreia.

sentença-solução: Não estou me sentindo bem.

13 a. mal, b. com dor de garganta, c. com febre, d. amanhã, e. ir para a cama

Transcrição

- ▲ Oi, Marina tudo bem?
- ◆ Que nada! Estou me sentindo muito mal.
- ▲ Por que? O que é que você tem?
- ◆ Estou com uma dor de garganta terrível, desde ontem. Acho que estou com febre também. Meu rosto está vermelho, não está?
- ▲ Nossa, é mesmo. Você não está com gripe?
- ◆ Acho que sim.
- ▲ Por que você não vai ao médico?
- ◆ Pois é. É o que eu vou fazer. Mas tenho consulta só amanhã de manhã.
- ▲ Então, estimo as melhoras e olhe, tem que ir para a cama, viu?
- ◆ Chegando em casa, vou direto para a cama. Tchau.
- ▲ Tchau.

14 *solução livre*

15b b

15c *solução livre*

16 a. mal, b. boa, c. bem, bom, d. bom, boa, e. bem, mal, f. ruim.

17a Rita: a., f.
  Mário: b, c., d., e., g.

18 *solução livre*

Revisão 4 – Teste 1c, 2b, 3a, 4b, 5c, 6b, 7c, 8c, 9c, 10b, 11b, 12b, 13a, 14b, 15c, 16a, 17c

---

Lição 13

1 b. ficávamos, c. queria, d. ouvia, e. pescava, f. lia, g. divertia, h. tinha, i. existia, j. brincávamos, k. passava, l. dormíamos, m. Naquele tempo

2 *solução livre*

3 ▲ Tia Rita, como **era** a sua rua antigamente? (ser)
- ◆ Olha, Marcinha, **era** totalmente diferente. **Gostava** muito dela. (ser; gostar)
- ▲ Por que é que você **gostava** da rua? (gostar)
- ◆ **Era** uma rua cheia de vida. Naquele tempo **havia** comunicação entre as pessoas.(ser; haver) De noitinha **púnhamos** as cadeiras em frente das portas das nossas casas e **conversávamos** horas e horas. (pôr; conversar)
- ▲ Todos os dias?
- ◆ Ah, sim. Alguém sempre **contava** histórias interessantes e nós **ríamos** muito também. (contar; rir)
- ▲ E o que as crianças **faziam**? (fazer)
- ◆ As crianças **brincavam, jogavam** futebol ou **escutavam** nossas conversas.(brincar; jogar; escutar)
- ▲ Acho que hoje, nem nas cidades pequenas, isso já não **existe** mais, não é? (existir)
- ◆ Pois é. É a televisão, minha filha. Agora todo o mundo **fica** dentro de casa vendo as novelas. (ficar)

4a a. 2, b. 3 , c. –, d. 1

4b a. nos fins de semana, b. brincava de teatro conosco, c. muito legal, d. mas subia na árvore comigo, e. eu dava aulas de capoeira para crianças, f. e nunca queriam ir embora.

Transcrição

1. A foto me faz lembrar quando nós eramos pequenos. Minha mãe não tinha muito tempo, mas nos fins de semana ela lia histórias para nós e, às vezes, ela brincava de teatro conosco. Era muito divertido.

2. Já não há mais avós como antigamente. Quando era criança, minha avó brincava comigo. Eu punha minha roupa de Tarzan, ou de Zorro ou de Batman e subia na árvore que havia na minha casa. A minha avó era muito legal. Ela também subia na árvore. Era uma aventura.

3. A foto me faz recordar quando dava aulas de capoeira para crianças. Isso foi há 15 anos atrás. Elas adoravam e participavam muito. Elas cantavam, tocavam berimbau e dançavam. Nunca queriam ir embora.

5 *solução-modelo*

A foto me faz lembrar dos domingos quando ia com meu pai visitar os meus avós. Nós íamos de barco porque eles moravam numa ilha. Todos nós ficávamos na praia quase o dia inteiro, depois almoçávamos e de tardezinha voltávamos para casa. Eu adorava esses domingos, porque gostava de ficar com meu pai. Sabe, meu pai e minha mãe eram divorciados.

6 *solução-modelo*

a. Antes tinha cabelos **loiros e era magra**. Agora meus cabelos são **castanhos e estou mais gordinha.**

b. Quando era criança morava numa cidade pequena. Hoje moro numa cidade grande.

c. Quando era jovem trabalhava numa firma grande e tinha um chefe. Hoje não trabalho mais.

d. Antigamente jogava tênis e gostava de nadar. Agora ando de bicicleta.

7 a. rápidos, b. calma, calmamente, c. elegantemente, elegantes, d. feliz, felizes, Felizmente, e. lento, lentamente

8 a. Tinha, estava, b. foi, Havia, estavam, c. quis, viu, estava, estavam, d. ficava, era, estava, havia

9 b. ficava, c. conversavam, tomavam, d. levantou-se, saiu, e. pegou, f. entrou, foi, sentou-se.

10 b. encontrei, estava fazendo, c. estava tomando banho, acabou, d. começou, estava trabalhando, f. andava, telefonava, g. escutava, fazia o almoço, h. conversavam, tomavam

11 *solução*: Antonio

12a, 12b *solução-modelo*

a. Tinha pouca gente. As ruas estavam vazias, ainda não havia muitos turistas.

b. O barco não era grande.

c. O tempo estava ótimo, o céu azul, o sol lindo.

d. A água estava clara.

e. Era um restaurante simples. Mas a comida estava muito gostosa. O peixe era fresquinho.

12c *solução livre*

Transcrição

▲ E então, Daniela, como é que foi o passeio?

◆ Ah, foi uma maravilha.

▲ Vocês foram para Angra, não é?

◆ Não, Parati. Chegamos lá cedo. Sabe, tinha pouca gente. As ruas estavam vazias, ainda não havia muitos turistas.

▲ Então foi fácil alugar um barco?

◆ Sim, havia muitos barcos. O barco não era grande, pois éramos só 10 pessoas.

▲ Tempo bom?

◆ Perfeito. O tempo estava ótimo, o céu azul, o sol lindo. Paramos em várias ilhas. Nadamos, mergulhamos. A água estava tão clara que podíamos ver os peixinhos.

▲ Ah, que inveja. Por que é que eu não fui!

◆ Você não sabe o que perdeu! Nós almoçamos num restaurante simples. Mas a comida estava muito gostosa. O peixe era fresquinho.

▲ Puxa, o passeio foi mesmo um sucesso.

◆ É, melhor não podia ser.

13 a. Nesse dia os militares tomaram o poder. b. Ele foi para lá quando os militares começaram a perseguir os opositores ao regime. c. Eles pintavam o rosto nas cores da bandeira do Brasil e em preto. d. Eles faziam passeatas contra o presidente Collor, contra a corrupção e pela democracia. e. Ela foi importante porque o Brasil ganhou a taça Jules Rimet pela primeira vez. f. Significou algo especial e a revelação de Pelé. g. Ele tinha 17 anos.

14 b. em perigo, c. passeatas, d. a pena, e. de luto, f. a copa, g. revelação, h. mereceu, i. torce, j. ganhar

15 a. F, b., V, c. F, d. V, e. F, f. F, g. V

Lição 14

1 *solução livre*

2 b. armário, c. imobiliária, d. porta, e. sala de estar

3a c

Transcrição

▲ Alô!

◆ Alô? Bom dia. Estou telefonando por causa do anúncio.

▲ Ah, sim. A casa para alugar…

◆ É perto do metrô?

▲ É sim, é bem perto do metrô. Só cinco minutos. E tem um ponto de ônibus perto também.

◆ É um sobrado?

▲ Não, não é sobrado não. É térrea.

◆ E só tem um banheiro?

▲ É, só tem um banheiro, mas é grande e tem um lavabo também.

◆ Tem varanda?

▲ Tem, sim. Uma pequena.

◆ Qual é o preço do aluguel?

▲ Olhe, a senhora vem aqui, vê como é e depois falamos sobre o preço, tá bem?

◆ Quando eu posso ver a casa?

▲ A senhora pode vir à tarde. Pode telefonar antes e combinamos uma hora, está bem assim?

◆ Está bem. Ah! Mais uma pergunta. Quantos metros quadrados são?

▲ Bem, são 90m^2.

◆ Obrigada e até logo.

3b *solução livre*

3c *solução livre*

4 b. arborizada, c. barulhenta, d. residencial, e. comercial

5 a. nenhum, b. Alguns, alguns, c. Alguém, ninguém, d. algumas, alguns, nenhuma, e. alguns, f. alguém, alguma, nenhuma

6 a. alguém, b. algo, nada, algo, c. alguém, ninguém

7 b. Não vejo nenhuma pessoa. c. Não vou comer nada. d. Não quero beber nada. e. Não vi ninguém. f. Ele não falou nada.

8a b. o quadro, c. o abajur, d. o aparelho de som, e. a rede, f. a cadeira, g. a cadeira de balanço

8b *solução livre*

9 a. 5, b. 1, c. 3, d. 7, e. 8, f. 6, g. 4, h. 2 (Um móvel que, geralmente, tem 4 pernas; você precisa para jantar, almoçar, estudar)

10 b. atrás, c. ao lado, d. entre, e. em frente da, f. dentro da/na, g. embaixo da mesa, no

11 a. Ponha/Põe, b. pôr, põem, c. pomos, ponham, d. pus, e. pôs, pôs, f. trouxemos, trouxemos, g. puseram, h. trouxe, trouxe

12a b. a, c. as, e. pô-lo, f. recebê-los, g. comprá-las

12b b. 1, as, c. 6, arrumá-las, d. 7, fazê-la, e. 4, abri-la, f. 2, vendê-lo, g. 5, convidá-los

13 a. Ana, b. Celso, c. Ana, d. Celso, e. Ana, f. Celso

Transcrição

a ▲ Moro bem longe do centro numa casa grande. Muitos amigos dizem que minha casa é um caos. Isto porque meus móveis são velhos e parece que não estão nos lugares certos. Numa casa decorada de modo tradicional eu acho que não me sentiria bem. Gosto da minha casa porque é original e o importante é me sentir bem. Gosto muito de ficar na cozinha. Cozinhamos e comemos todos juntos, meu marido e meus dois filhos. Gosto também da varanda, de onde tenho uma vista linda para as montanhas.

b ◆ Sou gerente de uma firma e viajo também a trabalho. Sou solteiro. Por isso meu apartamento não é grande, mas eu acho que é bem decorado e muito aconchegante. São móveis modernos e funcionais. Mas nada de móveis de metal, ou na cor preta como é a moda. Quando chego do trabalho ou das viagens quero conforto, relaxar, curtir o apartamento. Gosto de ficar na sala. Às vezes meus amigos vêm, batemos papo ou vemos filmes na minha sala de estar. É muito relaxante.

14 *solução livre*

15 1. b, 2. a, 3. b, 4. a, 5. b

16 b. a, c. por causa da, d. por causa da, e. com, f. por, por, g. para, perto do

17 b. entra (oder tem), c. tornou, d. faz, e. tem, f. jogar, g. Tenho h. recuperou

Lição 15

1 a. monitor/a, b. contador/-a, c. doutorando/-a, d. office boy, e. motoboy

2 b. 8, c. 9, d. 10, e. 2, f. 4, g. 3, h. 6, i. 1, j. 7

3 a. Porque ele precisa de dinheiro para pagar a prestação da moto. b. Primeiro porque ele precisa de um emprego. Segundo porque ele teria vale-transporte e vale-refeição. c. Ele gostaria de encontrar um falante nativo de português e propor uma troca. d. Porque ela gostaria de sair de São Paulo. e. Ela gostaria de morar num lugar de clima bom, como Fortaleza.

4 *solução-modelo*

2. Pesquise os anúncios de vagas em sites de empregos na internet, nos jornais e em revistas especializadas, **pesquisar**, 3. Informe-se na internet sobre como escrever um currículo e uma carta de apresentação, **informar-se**, 4. Prepare seu currículo, **preparar**, 5. Escreva a carta de apresentação, **escrever**, 6. Procure informar-se sobre a nova firma, **procurar**, 7. Encaminhe seu pedido de demissão, **encaminhar**, 8. Pense nas possíveis perguntas do entrevistador, **pensar**, 9. Ensaie a entrevista com um amigo, **ensaiar**, 10. Escolha uma roupa adequada para vestir no dia da entrevista, **escolher**, 11. Não chegue atrasado/-a à entrevista, **chegar**

5 *solução-modelo*

2. Depois eu **pesquisaria os anúncios de vagas em sites, jornais e em revistas especializadas**. 3. Em seguida, **eu me informaria sobre como escrever um currículo e uma carta de apresentação**. 4. Então **prepararia meu currículo**. 5. Logo depois, **escreveria a carta de apresentação**. 6. **Procuraria informar-me sobre a nova firma.**

6a Saudação: Prezado(a) Senhor(a)
Destinatário: Borges Lagoa
Despedida/Fecho: Atenciosamente
Assinatura: Eliana Moreira

6b Prezado(a) Senhor (a),
(b) **Li no anúncio publicado na Folha de S.Paulo** que sua empresa está selecionando candidatos para a posição de recepcionista.
(e) **Concluí o segundo ciclo há um ano** e tenho bons conhecimentos de inglês. No Senac fiz o curso de Recepção e Atendimento Telefônico nas Empresas.
(a) **Há dois anos trabalho como recepcionista** no escritório de advocacia Martins e Cunha. Estou, agora, em busca de novas experiências profissionais.
Visando à posição de recepcionista em sua empresa, (c) **envio anexo meu currículo**. Coloco-me à disposição (d) **para uma entrevista pessoal**, quando poderei fornecer mais informações.   Atenciosamente,

6c

CURRICULUM VITAE	
Dados Pessoais	Eliana Moreira 11/06/1988 Rua Jandira, 343 CEP 08511-000 – São Paulo – SP Tel. 011-3615-8001
Objetivo	Recepcionista
Escolaridade	Escola Municipal Jaguaré: 2° ciclo Senac: Recepção e Atendimento Telefônico nas Empresas
Experiência Profissional	Escritório de advocacia Martins e Cunha: Recepcionista Desde 01/03/2006

7 b. é criativa, c. é esportista, d. é flexível, e. é experiente.

8 b. acabou de, c. Acabei de, d. acabaram de, e. acabamos de

Gabarito

9 1. a, 2. e, 3. f, 4. d, 5. c, 6. b

10a b. Desde, c. desde, há/faz, d. há/faz, desde, e. há/faz, desde

10b b. Há, Faz, c. Há, Faz

11 ter: responsabilidade, habilidade manual, motivação, poder de decisão, condição física, concentração
ser: gratificante, inovador, creativo, flexível, motivante, causativo, desafiante

12 1. ambiente de trabalho descontraído, 2. emprego estável e seguro, 3. chances de fazer carreira, 3. assumir responsabilidades, 4. horário flexível

Transcrição

1. ▲ Faz um mês que trabalho nessa firma e até agora estou muito contente. Os colegas são simpáticos. A gente ri o dia inteiro. É muito divertido.
   ◆ Ah, isso é muito bom, porque rindo a gente descarrega as tensões e trabalha mais. Você tem sorte, pois no meu escritório todo mundo é muito sério, há muita tensão.

2. ▲ Meu sonho é conseguir um emprego. Estou desempregada há um ano já. Aceitaria até com salário baixo.
   ◆ Olha, eu não faria isso, pois um trabalho com salário baixo não vai te ajudar em nada.
   ▲ Mas na situação atual, para mim o salário não está em primeiro lugar. Só quero um emprego seguro, com carteira assinada, sabe?

3. ▲ Você mudou de emprego de novo? Onde está trabalhando agora?
   ◆ No Hotel Paissandu. E estou gostando muito.
   ▲ Por quê?
   ◆ Bem, tem as suas desvantagens, trabalho muito, tem muita pressão. Mas a vantagem é que oferecem cursos, estou aprendendo muitas coisas novas, vejo que tenho chances de desenvolvimento profissional. Além do mais, tenho que resolver os problemas que aparecem e eu gosto disso.

4. ▲ Como tenho um filho, para mim, o melhor seria começar a trabalhar entre 8:30–9:30 da manhã.
   ◆ E à tarde, quando poderia começar a trabalhar?
   ▲ Bem, de tarde eu poderia começar entre 4–5 horas.

13 *solução livre*

14 b. por, c. para, d. por, e. para, f. pela, para, g. Por, h. pela, i. por, para

15 *solução livre*

16b a. trabalhado, b. tinha aprendido, praticado, c. tinha conhecido, d. tinha nascido, e. tinha recebido, proposta, no Sheraton do Rio, f. tinha trabalhado no Sheraton e no Rio Palace, g. tinha passado

17a a. F, b. V, c. V, d. V, e. F, f. F, g. V

17b a. Ele trabalhava como um louco e nunca tinha dinheiro. e. Já escreveu dois livros. f. O próximo livro será sobre a Índia.

Transcrição

▲ Oi, Mário, quanto tempo! Tudo bem?
◆ Tudo bem, Pedro. O que anda fazendo? Ainda trabalha na escola?
▲ Não, deixei de ser professor há muito tempo. Agora estou trabalhando em outra área.
◆ É mesmo, é? Em que área?
▲ Na área de turismo. Escrevo sobre viagens.
◆ Que interessante! Desde quando?
▲ Já faz 5 anos que trabalho nessa área.
◆ E por que você mudou?
▲ Bem, você se lembra, não é? Era professor de geografia. Minha vida era uma loucura: dava 40 aulas por semana e quando chegava em casa ainda tinha que preparar aulas e fazer correções. Naquela época um dos meus hobbies era ler livros sobre viagens. Com essas leituras eu viajava, sabe? Nas minhas fantasias. Mas viajava nas minhas férias escolares também. Naquela época não tinha muito dinheiro, mas mesmo assim conheci quase todo o Brasil. Fotografava e anotava tudo. Quando chegava em casa escrevia sobre as minhas impressões, tudo sobre o que tinha visto, sentido e feito.
◆ É, você sempre foi dedicado e organizado em tudo. E então…?
▲ Um dia fiquei cheio de dar aulas, dos alunos, da escola. Trabalhava como um louco e nunca tinha dinheiro. Então resolvi mudar, fazer aquilo que gostava. Criei coragem, peguei alguns textos que eu tinha escrito sobre uma viagem que fiz ao Amazonas, algumas fotos e levei para uma revista especializada. Não é que o editor gostou? Quase morri de tanta felicidade! Ele publicou meus textos. E foi assim que comecei na minha nova profissão.
◆ Puxa, rapaz, que bom, não é?
▲ Pois é. Então, depois de um ano, quando as ofertas para escrever artigos aumentaram e tive que viajar mais, decidi deixar a escola.
◆ Estou vendo que foi uma boa decisão. Você parece feliz, contente.
▲ É isso mesmo. Há três anos faço viagens internacionais. Agora escrevo não só artigos mas também já escrevi um livro sobre o México e um sobre a Costa Rica, dois países da América Latina interessantíssimos.
◆ E o próximo, qual vai ser?
▲ O meu próximo livro será sobre a Índia. Bem, agora chega de falar sobre mim. E você, como vai a sua loja de decoração?
◆ Muito, muito trabalho. Estou precisando de umas férias.
▲ Puxa, eu também estou.
◆ Você? Mas você está sempre de férias, não é? Sempre viajando…

▲ De jeito nenhum. Muita gente diz isso, não acreditam que eu trabalho duro quando viajo.

18 *solução livre*

Revisão 5 – Teste 1b, 2c, 3a, 4b, 5a, 6b, 7a, 8c, 9a, 10c, 11b, 12c, 13c, 14c, 15a, 16b, 17c, 18c

Lição 16

1 b. poluir, c. mergulhar, d. caminhar, e. descansar, f. relaxar, g. paquerar, h. nadar, i. surfar, j. meditar, k. passear, l. acampar

2 b. Na alta temporada, o mais difícil é encontrar uma pousada boa e barata. c. No fim de semana, para mim o mais importante é relaxar. d. Nas férias, para mim o menos interessante é visitar cidades históricas. e. Para mim, praticar esportes é o menos motivante. f. No carnaval, o mais divertido é dançar na rua.

3 b. na, c. de, d. pela, e. de, de, com, f. de, no, g. em

4 a. Pantanal, b. Maceió, c. Cidades Históricas

5 Joana e Marcos, Maceió

6 *solução livre*

7 b. vendido, c. descansado, d. viajado, e. visto, f. ido, g. sido, h. estado, i. saído, j. crescido, k. feito, l. tido

8 a. tenho visto, b. têm ido, temos tido, c. tem viajado, tem ido, d. tem feito, tenho visitado

9 b. fui, conheci, c. tem feito, d. visitaram, e. tenho me levantado, f. fui

10 *solução livre*

11 b. vazio, c. tranquila, d. agradável, e. limpas, f. velho, g. monótona

12 b. tão, c. tanto, d. tanta, e. tantas, f. tanto, g. tão

13 *solução-modelo*
Eu farei uma viagem à França por motivos profissionais. Nós nunca mais gastaremos muito dinheiro nas viagens. Pedro trará lembranças do Brasil para os amigos. Elas levarão roupas quentes na excursão para as montanhas. Eu nunca mais irei ao sul da Ásia na época das chuvas. Eles deverão atender às necessidades dos turistas.

14 encantarão. Nós **partiremos** bem cedo, porque **iremos** percorrer 22 quilômetros de jipe até Castelhanos. Depois para a praia do Bonete **caminharemos** 15 quilômetros, o que **exigirá** bom preparo físico, porque **haverá** muitas subidas e descidas. Você **poderá** tomar banho nas lagoas. Em Bonete (você) **conhecerá** gente que vive bem, sem as modernidades da cidade grande. Você **poderá** dormir numa das duas pousadas. (Você) **acordará**, **tomará** o café da manhã ouvindo os passarinhos e com cinco passos **chegará** à praia. **Terá** atrás de você a floresta e sob seus pés, areia, pedras e o mar. Depois **poderá** voltar de barco. Os pescadores o **levarão** de volta à civilização. Ou **poderá** continuar a caminhada até a praia das Enchovas.

15a, 15b

5 Segunda-feira	10 horas	Volta a Goiânia
2 Sexta-feira	8 horas (acordar)	
	9 horas	Passeio pelo …
	…	
	de noite	Espetáculo de …
1 Quinta-feira	12:30 horas	Saída de …
	…	
3 Sábado	9 horas	Excursão à …
	…	
4 Domingo	levantar tarde	Praia …

Transcrição

◆ Oi, Bete, aqui é a Lúcia.
▲ Oi, Lúcia, tudo bem?
◆ Tudo bem. Como passou o fim de semana?
▲ Muito bem, Lúcia. Na quinta-feira passada viajamos, o Marcos e eu. Tivemos um fim de semana prolongado e fomos pra Salvador.
◆ Nossa, pra Salvador!
▲ Pois é. Você sabe, né, tenho medo de voar, mas o voo foi bem tranquilo.
◆ Que bom, né?
▲ Chegamos lá de tardezinha. Deixamos as malas no hotel e fomos experimentar a famosa comida baiana.
◆ E que tal, gostou?
▲ Muito. Estava uma delícia! O restaurante Iemanjá é muito bom mesmo.
◆ E vocês visitaram o centro de Salvador?
▲ Então, fizemos isso no dia seguinte, na sexta-feira. Andamos pelo Pelourinho, o centro histórico, né.
◆ E o que que você achou? Dizem que ficou muito bonito depois que foi restaurado.
▲ É. Realmente, o conjunto ficou muito bonito. Visitamos também algumas igrejas barrocas e depois fomos ao Museu de Arte Sacra.
◆ Puxa, programa cheio, hein?
▲ É mesmo. E de noite ainda vimos um espetáculo de dança afro-brasileira. Foi maravilhoso: a música, as cores, os movimentos.
◆ E no sábado, o que é que fizeram?
▲ Bem, no sábado, fizemos uma excursão de ônibus à Praia do Forte. Passeamos pela vila. Uma pena, ela cresceu desordenadamente, com muitas barracas e lojas para turistas. Sabe, não gostei muito, não. Visitamos o projeto Tamar, com seus aquários e reservatórios de tartarugas, muito interessante. Quando voltamos para Salvador, já era de noite.
◆ E quando vocês voltaram para Goiânia? No domingo?
▲ Não, não. Voltamos na segunda-feira. Domingo foi o nosso último dia e, então, não fizemos nada. Ficamos o dia inteiro na praia. Foi muito relaxante. E você, Lúcia, como passou o…

16 *solução livre*

17 e, g, a, b, c, d, f

18 b. Está muito quente. / Faz muito sol. c. Está sempre nublado. / Está sempre chovendo. d. Está chovendo muito. e. Nevou. f. Está ensolarado. / Faz sol.

19a b. nublado, 24°, c. vai chover o dia inteiro, 26°, d. nublado, 19° a 24°

19b a. F, b. V, c. F, d. V

Transcrição

▲ Rádio Miracaia e o show da manhã com Patrícia Alegria! São 9 horas e cinco minutos. E agora a previsão do tempo com Mauro Borges. Alô, Mauro, como está o tempo hoje?

◆ Alô, Patrícia. Olha, hoje em São Paulo a previsão é de tempo instável. Nas próximas horas o tempo vai continuar parcialmente nublado e úmido. Teremos chuvas fracas e esparsas com intervalos de sol. No momento, o termômetro marca 21°, mas a temperatura está em elevação, podendo chegar até os 27° à tarde. Neste momento, em Santos o tempo está nublado, com temperatura de 24°, mas com elevação durante o dia. Amanhã será um dia de sol e muita luz, dia bom para a praia. O Rio de Janeiro continua sofrendo os efeitos de uma frente fria. Choverá o dia inteiro. A temperatura é de 26°. Amanhã continuará nublado com solzinho fraco de vez em quando. Brasília vai continuar com tempo nublado com períodos de melhoria. Temperatura agradável de 19° e máxima de 24°. Amanhã a temperatura subirá um pouco, mas vai continuar agradável em Brasília. No sul do Brasil, em Curitiba…

20 *solução livre*

Lição 17

1 b. candomblé, c. berimbau, d. Natal, e. católica, f. juninas, g. rede, h. farofa, i. dendê, j. capoeira, k. identidade

2a b. lidos, c. lido, d. são lidos, e. é lida, f. são lidas, g. é lida, h. são lidas

2b a. Maria *lê* o jornal. b. Maria lê os jornais. c. Eu leio o livro. d. Elas leem os livros. e. Todos leem as cartas. f. Nós lemos as cartas. g. Você lê a frase. h. Vocês leem as frases.

3 b. A população basileira é composta por brancos, pardos, negros, amarelos e índios. c. Café e cana-de-açúcar são produzidos até hoje. d. As plantas medicinais são valorizadas hoje pela ciência. e. O berimbau e a capoeira foram introduzidos pelos escravos. f. As festas cristãs foram levadas pelos colonos portugueses. g. Os hábitos alimentares no Brasil foram influenciados pelos índios, europeus e negros. h. Cerca de 3,5 milhões de africanos foram transportados para o Brasil.

4a concordar: estou de acordo, você tem razão, é verdade, eu também acho, concordo, claro, está certo
discordar: pelo contrário, isto não é verdade, discordo, mas…, acho que não está certo

4b 1. discorda, Acho que não está certo dizer isso porque..., 2. concorda, É, você tem razão., 3. concorda, Concordo com você. 4. discorda, Olha, isso não é verdade.

Transcrição

1. ▲ Eu acho que na língua portuguesa do Brasil há mais palavras indígenas do que africanas, porque a língua tupi foi falada pelos colonos portugueses durante mais de dois séculos.

◆ Acho que não está certo dizer isso porque não existe uma estatística sobre esse tema.

2. ▲ Puxa, como a influência do índio nos hábitos alimentares do brasileiro é importante. Não tinha percebido isso antes. Eu sempre como farinha de mandioca ou de milho. Adoro uma pamonha, um pão de queijo e prefiro mandioca no lugar de arroz.

◆ É, você tem razão. E eu adoro um bolo de milho, uma farofa! Uhm…

3. ▲ O sincretismo religioso no Brasil é uma amostra da tolerância religiosa. Aqui muita gente é católica, mas é também um pouco umbandista, um pouco budista e tem um santo e um orixá para proteger.

◆ Concordo com você. Eu mesmo vou à missa, o meu santo é São Jorge e o meu orixá é Ogum.

4. ▲ Visitei o Nordeste e conversei com muitas pessoas e acho que o que predomina no Brasil são as religiões africanas.

◆ Olha, isso não é verdade. A maioria da população é católica. O Brasil é o país mais católico no mundo.

5

verbo	substantivo	verbo	substantivo
organizar	a organização	herdar	a herança
cultivar	o cultivo	contribuir	a contribuição
variar	a variação	influir	a influência
sobreviver	a sobrevivência	programar	a programação
produzir	a produção	comemorar	a comemoração
propor	a proposta	esperar	a esperança
introduzir	a introdução	formar	a formação

6 *solução-modelo*
Achei o aspecto dos ensinamentos dos índios interessante porque não sabia que os índios tinham influenciado tanto, principalmente, a alimentação. Já estive numa churrascaria e lá estava a mandioca, a farinha. Em todo restaurante brasileiro há no cardápio farinha ou farofa. Já dormi em casa de amigos no interior do Nordeste, em rede e não em cama.

7a a. Pesquisa de Nomes ou Novo Banco de Dados Aberto para Pesquisas, b. Visitas monitoradas, c. Caffé Bistrô do Imigrante, d. XIII Festa do Imigrante

7b a. Porque é filha de libaneses e há muito tempo quer visitar o Memorial. b. Porque quer experimentar a comida judaica. c. Quer ver se os nomes de seus bisavós estão na lista do navio. d. Ele gostaria de ver uma apresentação de dança japonesa.

8a a. ter dificuldades, b. lutar contra o desemprego, c. plantações de café, d. ter iniciativa, e. plantar legumes, f. trabalho pesado

8b Meus pais vieram para o Brasil em 1906. Meu pai tinha 9 anos e minha mãe 6. Nessa época, na Espanha, a região da Andaluzia lutava contra o **desemprego**. Meus avós trabalharam nas plantações de café, no sul de Minas e norte de São Paulo. No começo **tiveram** muitas dificuldades. O trabalho nas **plantações** de café era muito **pesado**. Eles trabalhavam 12 horas por dia. Não havia escolas. As casas eram muito ruins. Quando ficavam doentes, era um problema porque as fazendas ficavam longe das cidades. Meus avós contavam que os caboclos (mestiços descendentes de índios com portugueses) não tinham muita **iniciativa**, pois só plantavam milho e mandioca em volta da casa. Eram piores que os índios, diziam. O interessante é que os meus avós, passados os primeiros preconceitos, aprenderam a fazer a broa de milho, a pamonha, o pudim de milho verde, os biscoitos de polvilho e a comer a mandioca. E os caboclos, por seu lado, admiravam os legumes que os espanhóis plantavam no quintal.

8c b. Lugar de origem, c. Razão da emigração (por quê?), d. Trabalho no Brasil, e. Dificuldades f. Crítica aos nativos, g. Aprendizagem, h. Admiração

9 a. V, b. F, c. V, d. F, e. F, f. V, g. F, h. V, i. V

Transcrição

▲ Ana, você é filha ou neta de alemães?

◆ Bem, meus avós eram alemães, meu pai também, mas minha mãe já nasceu aqui.

▲ Quando é que seus avós chegaram no Brasil?

◆ Meus avós paternos, em 1930 e eles foram direto para Blumenau, em Santa Catarina.

▲ E você sabe porque é que eles vieram para o Brasil?

◆ Bem, eu acho que é porque a Alemanha, naquela época, vivia uma situação muito difícil. Acho que havia muitos problemas econômicos, muito desemprego, sabe? Então decidiram vir.

▲ E o que fizeram no Brasil?

◆ Bem, meu avô tinha um sítio e meu pai trabalhou numa fábrica de roupas.

▲ Como imigrantes, eles tiveram dificuldades?

◆ Meus avós contaram que na segunda guerra, quando o Brasil lutou contra a Alemanha, para os imigrantes alemães não foi nada fácil.

▲ Como assim?

◆ As escolas alemãs foram fechadas. Foi proibido falar alemão ou ter documentos em alemão em casa. Mais de três pessoas não podiam se reunir nas ruas.

▲ É mesmo? E quem proibiu tudo isso?

◆ O governo brasileiro, né, porque o Brasil lutou contra a Alemanha na guerra.

▲ Mas foi tão sério assim?

◆ É, como meus avós contavam, não foi nada fácil durante a guerra.

▲ Puxa, eu não sabia. E você fala alemão?

◆ Falo sim.

▲ Onde é que você aprendeu?

◆ Aprendi em casa. Sabe, em casa quase só se falava alemão porque meus avós não falavam o português. Minha avó só sabia falar algumas palavras em português.

11 a. produto, b. pecuária, c. turista, d. indústria

12 Texto a
a. Eles formaram uma organização para impedir a compra de terras e a construção de grandes hotéis e casas de veraneio.
b. Eles vivem da pesca e do turismo.
Texto b
a. Um fazendeiro da região mandou destruir as casas.
b. Eles foram à delegacia de polícia para registrar boletim de ocorrência.
Texto c
a. Ele vai expulsar índios de suas terras e atrair os fazendeiros, os madeireiros, os garimpeiros, os posseiros e as hidrelétricas.
b. Ele será bom para os grupos econômicos.
Texto d
a. Eles ocuparam a rodovia porque são contra a construção da hidrelétrica no rio Ribeira.
b. Com a construção da hidréletrica a região será inundada

13 a. lutam/lutaram, a luta, b. manifestação, se manifestaram, c. destruiu, destruição, d. a reivindicação, reivindicam/reinvindicaram, e. brigas, brigam/brigaram

14

infinitivo	presente do indicativo	presente do subjuntivo (conjuntivo)
respeitar	eu respeito	que eu respeite
tomar	eu tomo	que eu tome
continuar	eu continuo	que eu continue
atender	eu atendo	que eu atenda
aprender	eu aprendo	que eu aprenda
conhecer	eu conheço	que eu conheça
discutir	eu discuto	que eu discuta
construir	eu construo	que eu construa
vir	eu venho	que eu venha
fazer	eu faço	que eu faça

15 Esperamos que o Brasil **entenda** melhor a nossa causa e se **lembre** sempre da presença negra na sociedade. Queremos que o negro **estude** e **ganhe** mais! Pois, quem não estuda, não ganha bem! Com as cotas esperamos que o negro **tenha** mais chances educacionais, **consiga** boas oportunidades no mercado de trabalho e **saia** do ciclo vicioso da pobreza.

16

presente do indicativo (3ª pessoa)	presente do subjuntivo (3ª pessoa)
(ele) entende; respeita; luta; prejudica; faz; resiste; vem	(que ele) respeite; venha; faça; resista; escreva

17 b. venha, c. aproveitem, d. ocupam, e. discutam, f. discutem

18 Eu espero que … b. aprenda português. c. conheça pessoas interessantes. d. encontre um bom hotel. e. tenha bom tempo. f. aproveite bastante a praia. g. não fique doente.

19 *solução livre*

Lição 18

1 a. 3, 7, b. 5, c. 2, 7, d. 7, e. 1, 6, f. 6, 1, g. 4

2a a. ter → que … tenha
b. fazer → que … faça
c. sair → que … saia
d. vir → que … venha
f. divertir-se → que … se divirta

2b ▲ Rita, quantas pessoas vocês convidaram para a festa de Bodas de Ouro dos seus pais?
◆ Umas 40 pessoas.
▲ Nossa, tanta gente?
◆ Quero que todos **venham**. Meus pais ficariam muito contentes.
▲ Bem, desejo que a festa **seja** bonita e que todos **se divirtam** bastante.
◆ Obrigada. Só espero que não **chova**. Espero que **faça** bom tempo por que uma parte da festa vai ser fora.

3a a
Oi, primo,
Você não veio à festa! Uma pena, a família inteira tava lá. Só faltou você. Mas **te** mando algumas fotos pra você matar as saudades. Espero que você se divirta com algumas que estão superengraçadas. Todo mundo **te** manda um abraço. Eu **te** desejo boas melhoras. Fique bom logo. Espero **te** encontrar nas férias.
Mil beijinhos desta prima que **te** adora, Milene.
b
Querida Denise,
Queria **lhe** agradecer o convite. Infelizmente não pude ir à festa dos 50 anos de casamento dos seus pais porque estava viajando e fiquei sabendo só quando cheguei.

Telefonei ontem para os seus pais para **lhes** dar os parabéns. Eles ficaram felicíssimos com a festa. Na semana que vem vou visitá-los e queria **lhes** dar um presente. Você tem uma ideia do que posso dar? Posso **lhe** telefonar amanhã de noite?
Um abraço, Felícia

3b b. lhes, c. lhe, d. lhe, e. lhes, f. lhes

4 a. A festa foi num hotel-fazenda perto de Belo Horizonte. Quando o jovem casal **partiu** para a viagem de lua de mel, já **era** muito tarde. Mas muitos convidados ainda **ficaram** festejando até a meia-noite. Festa: **casamento**
b. Na sexta-feira passada toda a família **esteve** lá para cumprimentá-la. Todos lhe **desejaram** felicidades e sucesso na profissão que iria começar. No sábado à noite foi a festa, com o baile. As moças **estavam** de vestido longo e os rapazes de terno escuro e gravata. **Estavam** todos muito elegantes e se **divertiram** muito. Festa: **formatura**
c. Naquele domingo os filhos e os netos se **reuniram** lá na sua casa. A festa foi no jardim. Meus tios **estavam** muito ocupados: ele com o churrasco e ela com o bufê. De tardezinha **cantamos** parabéns para o meu avô e depois **comemos** o bolo. Festa: **aniversário**

5a ▲ Você **vem** ao meu churrasco no sábado?
◆ Claro, **vou**, sim. Vou estar aí às duas horas. O que eu devo **levar**?
▲ Bem, você pode **trazer** uma salada?

5b ▲ O baile já começou. Você não **vem**?
◆ Já estou **indo**. Estou quase pronta.
▲ Como é que você **vem** para cá?
◆ O papai vai me **levar**.
▲ Você pode me **trazer** um casaco? Aqui está um pouco frio.
◆ Claro, posso **levar** o branquinho?
▲ Pode me **trazer** qualquer um.

6 a. Vocês não querem vir jantar conosco? b. Ah, que coisa boa. Claro que queremos. c. Obrigado pelo convite. d. Que pena, não vou poder ir.

Transcrição
1. ▲ Alô?
◆ Aqui é a Clara. É o João?
▲ É, sim. Tudo bem, Clara?
◆ Tudo. Você e a Vanessa têm um tempinho no próximo sábado?
▲ Temos sim… estamos livres, não temos nada programado. Por quê?
◆ É que faz muito tempo que a gente não se vê, não é? Vocês não querem vir jantar conosco?
▲ Ah, que coisa boa. Claro que queremos.
◆ Lá pelas 8, tá bem?
▲ Tá sim. Estamos aí às 8. Obrigado pelo convite.
◆ De nada, já era tempo, não? Então, até sábado.

▲ Até sábado.

2. ❖ Alô?

   ◆ Anita, aqui é a Clara.

   ❖ Clara! Como vai?

   ◆ Muito bem. O que vai fazer no sábado de noite? Já tem programa?

   ❖ Bem… tenho… Por quê?

   ◆ Vou dar um jantar aqui em casa. Você não gostaria de vir?

   ❖ Que pena, não vou poder ir. É que é o aniversário do meu pai. Vou passar o sábado de noite com a família. Sinto muito.

   ◆ Tudo bem, fica para uma outra vez, tá? Não vai faltar ocasião, né?

   ❖ É isso mesmo. Obrigada, e lembranças para o Pedro. Tchau.

   ◆ Tchau.

7 *solução livre*

8 b. no, de, c. na, de, na, de, d. Em, e. Em, Em

9 a. nos, b. se, me, c. se, nos, d. se

10 b. Faz-se a ceia da véspera de Natal com muita gente: avós, filhos, tios, primos, etc. c. Faz-se o amigo-secreto mais ou menos um mês antes. d. Come-se bacalhau ou peru assado na ceia de Natal. e. Solta(m)-se fogos à meia-noite do dia 31. f. Usa-se roupa branca na noite do dia 31 de dezembro.

11 *solução livre*

12 a. os estudantes entram na faculdade. b. os alunos mais antigos. c. só dos rapazes. d. desfilar e dançar fantasiados nas ruas.

Transcrição

▲ Tio Marcos, qual foi a festa que você achou mais interessante na sua vida?

◆ A festa mais interessante… Foi a festa de formatura. Não, não…. Foi a festa de recepção aos calouros. Ah, sabe, eu estava tão feliz porque entrei na faculdade!

▲ É mesmo? E por que é que foi a mais interessante para você?

◆ É uma coisa que não se repete, entende? Acontece só uma vez na vida. E é tudo improvisado.

▲ Ah, e como é que foi?

◆ Puxa, já faz um tempinho, né? Bem, quando chegamos os colegas mais antigos, os veteranos, já estavam lá para nos receber. Com a tesoura na mão. A primeira coisa que fizeram foi cortar o meu cabelo.

▲ Ah é, isso é o costume, né. E depois?

◆ Como estava de camiseta listrada, pintaram o meu rosto de branco, ganhei um nariz de palhaço, me fantasiaram de palhaço, sabe? Os outros calouros foram fantasiados de tarzan, de boi.

▲ Não houve violência?

◆ Não, não, graças a Deus não. Naquele tempo só tinha brincadeiras.

▲ E as moças?

◆ O cabelo delas não cortaram não. Mas pintaram o rosto delas, foram fantasiadas de pierrôs, colombinas, caipiras… Depois nos deram alguns instrumentos de percussão e tivemos que desfilar nas ruas, tocando, dançando…

▲ samba e fazendo brincadeiras… ?

◆ Ééé… Isso, coisas assim…

▲ Vocês tiveram que pedir dinheiro nas ruas?

◆ Não. Ainda bem que não. Mas sabe, improvisamos um carnavalzinho de rua. Foi muito legal. Tinha que encarar tudo com bom humor, sabe como é, né? Claro, no final todo mundo se divertiu.

▲ Puxa, que legal! Olha, quando eu entrei na faculdade…

13b 1. e, 2. f, 3. d, 4. c, 5. b, 6. a

13c 1. **Ponha** a massa numa forma para assar. (180°, 35 min.) 2. **Ponha** as claras em neve e mexa levemente. 3. **Bata** as claras em neve. 4. **Junte** o leite aos poucos. **Bata** bem. 5. **Bata** bem o açúcar, a manteiga e as gemas dos ovos. 6. **Junte** a farinha de trigo, o fubá, o sal e o fermento em pó.

14 a. Em 1917, a Odeon gravou o samba "Pelo telefone". b. Os baianos levaram o samba de roda ao Rio de Janeiro. c. Músicos cariocas compuseram a música "Pelo telefone". d. Os cariocas comemoram o Carnaval com o samba.

15 b. O samba carioca desenvolveu-se na casa da Tia Ciata. c. Procuram-se motoristas para dirigir carros alegóricos. d. Vende-se uma fantasia de Faraó por R$ 50,00.

16 d. 1, e. 2, f. 1, g. 3

17 a. É bom comprar as entradas algumas semanas antes. b. Olha, é fácil. Basta relaxar o corpo e seguir o ritmo. É preciso mexer as pés também. c. Agora vale a pena ficar no Rio e participar de um bloco carnavalesco. d. É emocionante ver essas mocinhas jovens e bonitas.

18 c, d

19 *solução livre*

Revisão 6 – Teste 1b, 2a, 3b, 4a, 5c, 6b, 7a, 8c, 9a, 10b, 11a, 12c, 13c, 14a, 15c

◆ As palavras e expressões estão listadas por ordem alfabética.

◆ Não estão incluídos os numerais, a terminologia gramatical, denominações de países, nacionalidades e nomes próprios.

◆ Os números após cada vocábulo indicam o local de sua primeira menção. O número em verde indica a lição e o número seguinte, a atividade.

Abreviações empregadas			
m	= masculino	AB	= LE (Livro de Exercícios)
f	= feminino	J	= jogo
Sg	= singular	Gr	= gramática
Pl	= plural	C	= comunicação

A

à (a + a) 4 8
a 4 8
à direita 8 13
à esquerda 8 13
a f Sg 1 2
a gente 9 10b
à la carte 5 13
a leste de 16 9
a maioria f 7 13
à noite 7 12
a partir de 2 AB 19
a pé 8 16
à procura 11 21
a que horas 7 9
a seguir 4 16
à tarde 7 12
abacate m 5 5b
abacaxi m 5 5b
abaixo 12 10a
abajur m 14 8a
aberto/-a 3 20, 5 13
abertura f 17 9a
abóbora f 18 5
abração m 6 12
abraço m 2 14
abreviação f 14 4a
abril m 4 5
abrir 9 AB 15
acabado 14 6b
acabar 13 AB 10
academia f 7 7
acampamento m 16 AB 1
acampar 16 3
acarretar 16 17b
acebolado/-a 5 7
aceitar 6 8
acelerar 12 3
acender 18 11
acervo m 17 9a
acessível 10 19
acesso m 14 17
acessório m 11 9
achar 2 5
acidente m 13 AB 11

acompanhar 16 12
aconselhar 12 AB 13
acontecer 10
acontecimento m 10 B
acordar 7 1
acostumado/-a 14 17
acrescentar 10 12
açúcar m 5 1
açúcares m Pl 12 14b
adaptar 12 14b
adega f 5 13
adequado/-a 9 12
adiantado/-a 16 AB 11
adicional 15 5a
adivinha f 18 13
adivinhar 3 17
administativo/-a 17 3b
admiração f 17 AB 8c
admirar J 3
admissão f 15 9a
admitir 15 1
adorar 5 13
adormecido/-a 10 AB 17
adquirir 17 3b
adulto/-a m/f 2 AB 19
advocacia f 15 5a
advogado/-a m/f 14 5
aeroporto m 7 4
afastar 18 21
afastar-se 13 8a
afável 10 19
afirmação f 2 14
africano/-a m/f 17 2
afro-brasileiro/-a 1 18
agência f de turismo 7 AB 15
agente m/f de turismo 16 4a
ágil 18 20a
agitação f 14 17, 16 1
agitado/-a 13 AB 12a
agitar 18 11
agito m 16 10
agogô m 4 13
agora 2 14
agosto m 4 5
agradável 5 13

agradecer 18 AB 3a
agravar 17c
agricultor m 17 13b
agricultura f 17 13a
agua f 5 9
água f encanada 13 1
água f mineral 4 10
água f potável 6 12
Ah. 1 6
aí 7 13
Ai!
ainda 3 7.3
ajudar 7 13
alameda f 5 13
alaranjado/-a 13 10
álcool m 5 AB 6
alcoólico/-a 12 10a
aldeia f 6 12
alegre 3 1
alegria f 14 17
além de 10 19
alfabeto m 1 21
alface f 5 1
algo 11 24
algodão m 11 1
alguém J 3
algum/a 4 12a
alguma coisa f 4 12a
alguns/algumas 5 6
alho m 5 7
ali 8 14
alimentação f 12 14b
alimentar(-se) 12 14b
alimento m 12 14a
almoçar 5 13
almoço m 5 8a
almoço m por quilo 5 13
alô 5 8a
alterar 16 17b
alternar 6 12
alternativa f 7 15
altitude f 6 3
alto 13 8a
alto/-a 3 15
altura f 14 17

alugar **13** AB 12
aluguel *m* **14** 6a
alumínio *m* **17** 15
aluno/-a *m/f* **5** AB 10
amanhã **1** 9
amarelo/-a **2** 2
ambiente *m* **5** 13
ambos/-as **16** 11
ambulante **11** 18
ameaçado/-a **17** 13b
ametista *f* **4** AB 14
amigo/-a *m/f* **1** 7
amizade *f* **14** 17
amor *m* **10** 25
analista *m/f* de sistema **8** AB 17
andar **6** 12
andar a cavalo **15** 6a
andar de bicicleta **16** 2a
andar *m* **6** 7
andar *m* térreo **14** 15a
angústia *f* **12** 3
angustiado/-a **12** AB 4
animado/-a **8** 3
animal *m* **9** 7
aniversariante *m/f* **3** 1
aniversário *m* **3** 1
ano *m* **2** 18
Ano-novo *m* **17** 3b
anotar **1** 14
anteontem **16** AB 9
antes **13** 6
antes **5** AB 14
antes de **7** 7
antigamente **13** A
antigo/-a **6** 4
antiguidade *f* **11** 18
antipático/-a **3** 20
antissemitismo *m* **17** 9a
anual **8** 3
anúncio *m* **5** 13
ao **4** 8
ao lado de **8** 8
ao ponto **5** 8a
aonde? **4** Gr
aos sábados **5** 13
ao ar livre **16** AB 4
aparecer **9** 10c
aparecimento *m* **13** 14b
aparelho *m* de som **14** 8a
apartamento *m* **2** AB 15
apartamento *m* duplo **6** 7
apartamento *m* simples **6** 7
apenas **13** 14b
aperfeiçoar **15** 15
apertado/-a **11** 10
apesar de **15** 15
apito *m* **18** 17

aplicar testes **15** 9a
apontar **14** 19
aposentado/-a *m/f* **3** 11
aposentar-se **10** 23
apreciado/-a **12** AB 15
apreciar **18** 11
aprender **3** 7 3
aprendizagem *f* **15** 4
apresentação *f* J 3
apresentador/a *m/f* **10** 12
apresentar **3** 21
aprontar-se **12** 2
aprovar **17** 7c
aproveitar **11** 13
aproveitar **6** C
aproximadamente **16** 17b
aquecer **12** AB 8
aquela *f* **7** 15
aquele *m* **7** 15
aqui **2** 14
ar *m* **6** 1
ar *m* condicionado **6** 1
arborizado/-a **14** 6a
arca *f* **14** 17
área *f* **14** 1a
área *f* de conservação **17** 13b
área *f* de serviço **14** 1a
areia *f* **6** 12
argola *f* **18** 13
armário *m* **14** 1a
armário *m* embutido **14** 1a
armazenar **17** 9a
arquiteto/-a *m/f* **2** 15
arquitetônico/-a **16** 9
arquitetura *f* **6** 3
arquivo *m* **17** 9 a
arraial *m* **18** 13
arranjador/a *m/f* **10** 19
arrastado/-a **16** 17b
arredores *m Pl* **8** 3
arroba @ *f* **2** 18
arroz *m* **5** 1
arrumar **7** 15
arrumar trabalho **15** 2
arte *f* **2** AB 15
arte *f* sacra **16** AB 15a
artesanato *m* **4** 13
articular **17** 9a
artigo *m* **10** AB 11
artista *m/f* **2** 15
árvore *f* **3** 6
árvore *f* genealógica **3** 6
arvorismo *m* **16** 4b
as **1** 7
às 3 da tarde **7** 12
às 8 **7** 9
às 8 da manhã **7** 12

às 9 da noite **7** 12
às quartas **5** 13
às vezes **7** 15
asfaltamento *m* **17** 13b
asfalto *m* **17** 13b
Ásia *f* **17** 2
aspecto *m* **17** 4
aspecto *m* físico **13** 9b
aspirina *f* **2** AB 9
assado/-a **5** 7
assim **3** 21
assinalar **10** 4
assinar **17** 13b
assinatura *f* **15** AB 6a
assistir (a) **6** AB 15
associação *f* **17** AB 12
associar (a) **3** 16, **18** 20a
assumir **15** 8
assunto *m* **2** 14
assustar **18** 18
até **1** 9
Até amanhã. **1** 9
até lá **9** 13
Até logo. **1** 9
até que enfim **18** AB 1
atenciosamente **6** AB 9
atender **10** 2
atender **16** AB 13
atender **4** 14
atendimento *m* **15** AB 6a
atingido/-a **17** 13b
atitude *f* **13** 14c
atividade *f* **7** 14
ativo/-a **12** 3
ator *m* **2** 10
atrair **18** AB 18
atrás de **8** 8
atrasado/-a **15** AB 4
atraso *m* **8** 3
atravessar **8** 13
atriz *f* **2** 10
atuação *f* **15** 6a
atualmente **11** 21
atuar **13** 14b
aula *f* **2** 13
aumentar **18** 18
ausência *f* **15** 13
autêntico/-a **5** 13
autônomo/-a **15** 3
autor/a *m/f* **15** 7
avaliar **15** 11b
avançar J 1
avenida *f* (Av.) **2** AB 15
aventura *f* **6** 16
aventurar(-se) **16** B
aviação *f* **10** 16
avião *m* **4** 21

aviso *m* 18 17
avó *f* 3 4
avô *m* 3 5
avós *m Pl* 3 5
axé *m* 18 20a
azeite *m* de dendê 17 3b
azeitona *f* 5 5a
azul 2 2
azul-clara 11 14
azulejo *m* 16 9

B

babel *f* de línguas 11 21
bacalhoada *f* 5 13
bagunça *f* 14 10
baía *f* 9 12
baiano/-a 10 19
baião *m* 3 7
bailarina *f* 10 AB 17
bairro *m* 7 13
baixaria *f* 14 17
baixinho/-a 3 15
baixo/-a 3 15
balada *f* 11 AB 6
balançado *m* 10 25
balanço *m* 10 25, 15 1
balé *m* 10 AB 17
banana *f* 5 5b
banca *f* de jornais 4 11
bancário/-a *m/f* 2 11
banco *m* 2 13
banda *f* 18 13
bandeira *f* 2 A
banheiro *m* 3 12
banho *m* 6 12
bar *m* 4 13
baratíssimo 11 14
barato/-a 6 AB 12
barba *f* 3 15
barco *m* 6 12
barriga *f* 12 8
barroco/-a 6 3
barulhento/-a 6 9
barulho *m* 13 8a
base *f* 12 14b
basicamente 18 20a
básico/-a 17 2
basta 11 21
bastante 6 C
batata *f* 5 7
bater (em) 13 11
bater 18 AB 13b
bater papo 13 AB 12a
bateria *f* 9 6a, 18 17
batida *f* 18 20a
batida *f* 5 7
batuque *m* 18 20a

beber 5 8a
bebida *f* 1 18
bege 11 6a
beijinho *m* 2 14
beijo *m* 14 12
beiju *m* 17 3b
beira *f* 16 14c
beira-mar *f* 6 AB 2
beldade *f* 18 18
beleza *f* 10 25
belo/-a 5 5a
bem 1 10a
bem largo 6 12
bem melhor 10 9a
bem-estar *m* 16 1
bem passado 5 8a
Bem-vindos/-as! 1A
beneficiar 17 13b
bengala *f* 17 9a
berimbau *m* 1 17
bermuda *f* 11 1
biblioteca *f* 7 AB 3
bicicleta *f* 8 18a
bife *m* 5 8a
bigode *m* 3 15
bijuteria *f* 11 21
bilhão *m* 18 18
bilíngue 17 11
binacional 18 18
biografia *f* 10 23
bisavós *m Pl* 17 9a
biscoito *m* de polvilho 17 AB 8b
bisturi *m* 15 15
bloco *m* (carnavalesco) 18 17
bloco *m* 14 16
blusa *f* 11 1
boa *f* 1 1
Boa noite. 1 1
Boa tarde. 1 3
boas-vindas *f pl* 1 16
boate *f* 10 19
boca *f* 12 8
bodas *f Pl* 18 5
bodas *f Pl* de ouro 18 AB 2b
bofetada *f* 13 8a
bojudo/-a 17 9a
boletim *m* de ocorrência 17 13b
bolo *m* 18 5
bolsa *f* 11 14
Bom dia. 1 1
bom *m* 1 1
bondade *f* 14 17
bonde *m* 8 17
bonito/-a 3 1
Bossa Nova 10 19
bota *f* 11 AB 2
boxe *m* 7 7

braço *m* 12 8
branco/-a 2 2
briga *f* 14 AB 15
brigar 17 13b
brincadeira *f* 18 13
brincar (de, com) 9 3
brinco *m* 4 13
broa *f* de milho 17 AB 8b
brócolis *m pl* 5 7
bufê *m* 5 2
buggy *m* 16 10
bugiganga *f* 11 21
bulir 18 20b
busca *f* 15 5a
butique *f* 14 18

C

cabeça *f* 12 8
cabeleireiro/-a 7 18
cabelo *m* 3 15
cabo *m* 6 3
caboclo/-a *m/f* 17 AB 8b
cachaça *f* 5 1
cachorro/-a 13 10
cada um/a 6 5
cadê? *ugs* 14 9
cadeira *f* 13 6
cadeira *f* de balanço 14 8a
café *m* 5 8a
café da manhã *m* 6 1
cafezinho *m* 2 18
caiçara *m/f* 17 13a
caipira *m/f* 18 13
caipirinha *f* 1 17
cair 13 14b
caixa *f* 5 5a, 11 10
calça *f* 11 1
calçar 11 2
calendário *m* 18 10a
calmamente 13 8a
calmo/-a 6 3
calor *m* 7 13
calórico/-a 12 14b
caloroso/-a 10 19
calouro/-a *m/f* 18 AB 12
cama *f* 6 1
câmara *f* digital 2 20
camarão *m* 5 7
camarote *m* 18 18
caminhada *f* 6 3
caminhão *m* 16 17b
caminhar 16 2a
caminho *m* 8 18b
camisa *f* 11 1
camiseta *f* 4 13
campainha *f* 13 C
campanha *f* 13 14a

comerciante *m/f* **11** 21
comércio *m* **11** 21
cometer baixarias **14** AB 15
comida *f* **1** 18
comida *f* vegetariana **5** 15
Como se diz … (em português)?
Como vai o senhor? **1** 10a
Como vão?
como? **1** 1, **1** 15
cômodo *m* **14** 1a
comparação *f* **11**AB 16
comparar **2** 6
comparecer **15** 1
compensação *f* **14** 12
completar **2** 4
completo/-a **4** 19
complexo *m* turístico **17** 13c
compor **10** 19
composição *f* **10** 19
compositor/a **10** 18
composto/-a **15** 17
compra *f* **3** AB 17a
comprar **4** 11
comprido/-a **11** 11
comprimido *m* **12** 12b
compromisso *m* **9** Gr
computador *m* **2** 20
comum **13** AB 15
comunicação *f* **13** AB 3
comunicar **4** 1
comunidade *f* **14** 15a
concentração *f* **14** AB 15
concerto *m* **10** AB 2
conclusão *f* **14** 17
concordância *f* **17** 5b
concordar **7** 15
concurso *m* **18** 13
condição *f* **15** 11a, **16** 17b
condição *f* física **15** 11a
confecção *f* **17** 3b
conferir **4** 16
confirmar **13** AB 11
conflito *m* **11** 21
conforme **15** 13
confortável *m/f* **6** 2
conforto *m* **6** 4
conhecer (-se) **2**
conhecimento *m* **15** 1
conjunto *m* **15** 1, **18** 17
conosco **9** Gr
consciência *f* **17** 7a
conseguir **9** 9a
conselho *m* **12** 4, **15** 5a
consertar **15** AB 8
conservado/-a **14** 6b
conservador/a **11** 16
conservar **14** AB 9

construção **17** 3b
construir **13** 11
construtor/a *m/f* **14** 16
consulta *f* **17** 9a
consulta *f* on-line **17** 9a
consultar **6** AB 6
consumidor/a *m/f* **11** 16
conta *f* **5** 8a
contador/a *m/f* **15** 1
contadoria *f* **15** 5a
contar **7**AB 7
contato *m* **1**
conter **13** 10
conteúdo *m* **17** 13c
continuação *f* **13** 14b
continuar **1** 13
contínuo/-a **18** 20a
conto *m* de fadas **14** 13b
contorno *m* **14** 3
contra **2** 3
contrário *m* **3** 20
contraste *m* **14** 17
contrato *m* **15** 6a
contribuição *f* **17** 3b
contribuir (para) **17** 13a
controle *m* remoto **14** 15a
conversa *f* **13** 12a
conversação *f* **15** 1
conversar (com) **4** 2
convidado/-a *m/f* **5** 3
convidar (para) **5** 2
convite *m* **18** 5
conviver **14** 17
cooper *m* **12** AB 2
cooperação *f* **7** 15
cooperar **7** 13
coordenador/a *m/f* **15** 5a
copa do mundo **2** 3
copa *f* **2** 3
copa-cozinha *f* **14** 1a
cópia *f* **10** 19
copo *m* **5** 9
cor *f* **11** 5
coração *m* **12** Gr
cordial **4** AB 8
coreografia *f* **10** AB 17
coreógrafo/-a *m/f* **10** AB 17
corpo *m* **10** 25
corre-corre *m* **12** 3
corredor *m* **14** AB 2
correio *m* **4** 11
correio *m* elegante **18** 13
correr **7** 7
corresponder **11** 22
correto/-a **9** 10b
corrida *f* **12** AB 8
corrigir **14** 3

cortar **5** 9
cortina *f* **14** AB 12b
costa *f* **16** 14c
costas *f* *Pl* **12** 8
costumar **7** 7
costureiro/a **11** 16
cota *f* **17** 7c
cotidiano *m* **9** 12
couro *m* **11** 1
cowboy *m* **13** AB 1
cozido/-a **5** 7
cozinha *f* **14** 1a
cozinhar **7** 15
cozinheiro/-a *m/f* **3** 12
crescer **15** 9a
criação *f* **10** 19
criador/a *m/f* **10** 18
criança *f* **6** 3
criar **14** 16
criar(-se) **18** 20b
criativo/-a **15** 11b
crise *f* **11** 21
cristalino/-a **16** 10
cristão/-ã **17** AB 3
cuíca *f* **17** 3b
Cuidado! **12** 14b
cuidado/-a **8** 3
cuidar (de) **9** 4
culinária *f* **17** 3b
cultivo *m* **17** 3b
cultura *f* **4** 4
cultura *f* popular **9** 12
cultural **16** 3
cumprimentar (-se) **1** 3
curau *m* **17** 3b
curioso/-a **2** 18
currículo *m* **15** 4
Curriculum *m* Vitae (CV) **15** 1, **15** 4
cursar **15** 4
curso *m* **1** 15
curso *m* de aperfeiçoamento **16** 3
curso *m* superior **15** 6a
curtir o solzinho *ugs* **16** 1
curto/-a **3** 16
curva *f* **14** 17
custar **4** 12a
custo *m* **15** 17

D

D. (dona) Teresa **1** 10a
da (de + a) **2** 2
dado *m* J **1**
dados *m* *Pl* **14** 5
danado/-a **18** 20b
dança *f* **2** 10
dançar **3** 7
daqui **8** 3

dar 2 13
dar início (a) 10 19
dar para 14 6a
dar um jeitinho J 6
dar uma pista 12 10a
das … às … 7 13
data f 4 18
de … a 4 20
de 1 6
de acordo com 10 23
de duas em duas horas 12 10b
de férias 6
de graça 18 AB 13a
de jeito nenhum 9 8
de madrugada f 7 13
de manhã 7 2
de noite 7 2
de novo 10 2
de onde? 1 6
de preferência 12 AB 8
de repente 13 8a
de tarde 7 2
de vez em quando 9 2
de volta 15 15
debutante f 18 1a
década f 10 18
decidir 11 4
decisão f 15 13
decisivo/-a 17 3b
declarado/-a 16 9
decoração f 9 8
decorar 14 11, 18 11
dedicar-se (a) 10 18
dedo m da mão 12 8
dedo m do pé 12 8
defesa f 17 13b
deficiente m/f 14 17
definição f 5 9
degustação f 18 13
deitar-se 7 13
deixar 6 8, 9 9a
dela 3 9
dele 3 1
delegacia f de polícia 17 13b
delícia f 5
delicioso/-a 5 13
demissão f 15 13
demografia f 17 2
dente m 12 9
dentista m/f 2 15
dentro 10 19
dentro de 14 10
departamento m 2 13
dependência f 14 4a2
depoimento m 13 14b
depois 5 8a
depósito m 7 13

depressão f 12 3
deprimido/-a 12 AB 4
derivado m do leite 12 14b
desacelerar 12 3
desafiante 15 12
desafinado/-a 10 19
desafio m 15 5a
desagradável 16 AB 11
descansar 7 13
descanso m 7 13
descendente m/f 17 9a
descer (em) 8 16, 12 1
descer J 2
descida f 16 AB 14
desconfiar 15 15
desconfortável 11 15
descontraído/-a 15 AB 12
descrever 3 17
descrição f 13 10
desculpar (por) 1 10a
desde 10 19
desde cedo 10 19
desde então 18 20a
desejado/-a 9 9a
desejar 18 3
desejável 15 AB 6a
desejo m 15 3
desempregado/-a 15 9a
desemprego m 17 AB 8b
desencantado/-a 15 15
desenhar 14 3
desenvolver 18 20a
desenvolvido/-a 16 4b
desenvolvimento m 17 13b
deserto m 16 9
desfazer 14 17
desfilar 18 17
desfile m 18 11
desfrutar (de) 17 C13b
desigualdade f 17 7a
desistir 15 9a
desligar 12 4
despedida f 15 AB 6a
despedida f de solteiro 18 7
despedir-se (de) 1 9
destacar 12 14b
destaque m 12 15
destinatário m 15 AB 6a
destruição f 17 AB 13
destruir 17 13b
desvantagem f 14 6b
detestar 13 7a
devagar 1 15
dever 12 10b
devido a 16 14a
dezembro m 4 5
dia m 1 1

dia m da semana 5 13
Dia m das Mães 18 10a
Dia m de Reis 18 10a
Dia m dos Namorados 18 10a
Dia m dos Pais 18 10a
dia a dia m 7
diálogo m 1 10a
diante de 17 9a
diária f 6 7
diariamente 11 21
diarreia f 12 10a
dicionário m 14 AB 10
dieta f 12 C
diferença f 14 1b
diferente 10 8
difícil 14 17
dificuldade f 14 5
dinâmico/-a 3 7
dinheiro m 6 4
diploma m 15 1
direção f 8 17
direção f 9 10a
direcionar 18 20a
direito m 17 13b
direito m fiscal 15 5a
diretamente 7 13
direto/-a 8 16
diretor/a m/f 6 4
dirigir (o carro) 18 AB 14
dirigir-se (a) 13 8a
disco m 10 19
disco m voador 13 10
discordar 17 4
discoteca f 7 18
discutir 9 AB 15
disponibilidade f 15 6a
disponibilizar 17 9a
dispor 17 9a
disposição f 11 21, 15 5a, 18 AB 13a
distribuir 14 16
diversidade f 14 17
diversificado/-a 15 8
divertido/-a 3 7
divertir-se 12 4
dívida f 15 15
dividir 9 AB 15
divinamente 15 AB 16a
divorciado/-a 3 5
divorciar-se 10 23
divulgar 17 9a
dizer 1 19
do (de + o) 1 14
doce 5 16
doce m 5 16
documental 17 9a
documentário m 17 10
documento m 6 7

153

doença *f* 12 3
doente 10 2
doer 12 9
dois *m* 1 12
domingo *m* 5 13
Domingo *m* de Páscoa 18 10a
domínio *m* 15 5a
dona *f* 1 10a
dona *f* de casa 2 11
dono *m* 17 13b
dono *m* de casa 2 11
dor *f* 12 9
dor *f* de barriga 12 9
dor *f* de garganta 12 9
dormir 6 12
dormitório *m* 14 1a
dos (de + os) 2 1
dourado/-a 10 25
doutor/a *m/f* 12 10b
doutorando/-a *m/f* 15 1
drinque *m* 9 12
droga *f* 14 17
drogaria *f* 4 11
duas *f* 1 13
duna *f* 16 9
duração *f* 16 17b
durante 5 8a
dúzia *f* 5 5a

E

é (*Inf* ser) 1 1
e 1 1
É mesmo. 3 7 2
É mesmo? 1 6
é que 2 B
É uma pena. 10 2
É verdade. 3 7 2
ecológico/-a 1 18, 6 16
economia *f* 2 14
econômico/-a 11 19, 14 17
edifício *m* 14 15a
educacional 17 AB 15
efeito *m* 16 17b
ela *f* 1 7
elas *f Pl* 1 7
ele *m* 1 7
elegante 3 1
eleger 15 15
elemento *m* 17 3b
eles *m Pl* 1 7
eletricista *m/f* 14 16
eletrônico/-a 11 18
elevador *m* 6 9
elevador *m* de serviço 14 4a2
elevador *m* social 14 4a2
elogiar 11 9
elogio *m* 11 8

em 1 6
em anexo 15 5a
em breve 16 10
em busca 15 5a
em casa 2 13
em comparação (com) 11 AB 16
em comum 3 22
em cima de 14 10
em espanhol 2 8
em frente 8 13
em frente de 8 8
em geral 17 11
em matéria de 11 16
em meio 16 9
em pares 4 13
em relação a 15 3
em seguida 13 8a
e-mail *m* 2 14
embaixo 13 10
embaixo de 14 10
emigrar 17 AB 9
emocional 12 3
emocionante 15 12
empada *f* 12 10a
empregada *f* 14 1a
empregado/-a *m/f* 13 2
emprego *m* 15 A
empresa *f* 7 2
encaminhar 15 AB 4
encanador/a *m/f* 14 16
encantar 16 AB 14
encerrar 10 AB 17
encher(-se) 10 25
encontrar 14 A
encontrar(-se) 7 7
encontro *m* 7 13
endereço *m* 2 21
enfarte *m* 12 4
ênfase *f* 17 7a
enfeitar 18 11
enfermeira *f* 7 13
enfrentar 2 3
engano *m* 9 9a
engenharia *f* 2 13
engenheiro/-a *m/f* 2 11
engenheiro/-a *m/f* de produção 2 14
engolir 18 18
engraçado/-a 18 AB 3a
enorme 11 21
enquanto 7 13
enredo *m* 18 17
ensaiar 15 AB 4
ensinamento *m* 17 3b
ensino 15 1
ensolarado/-a 14 6a
então 1 10a
entender(-se) 11 21

entrada *f* 5 7, 14 1a, 18 AB 17
entrada *f* de serviço 14 1a
entrada *f* social 14 1a
entrar (em) 10 19
entrar em acordo 14 11
entre 5 AB 14
entrega *f* 15 2
entregador/a *m/f* 15 2
entregar 15 AB 14
entremeado/-a 16 9
entrevista *f* 7 19
entrevistado/-a *m/f* 14 18a
entrevistador/a *m/f* 15 AB 4
entrevistar 13 6
enviar 15 5a
época *f* 11 4
época *f* colonial 8 AB 4
equilibrado/-a 17 13a
equilíbrio *m* 17 AB 11
equipe *f* 15 3
esboço *m* 14 11
escada *f* J 2
escola *f* 1 18
escola *f* de samba 18 17
escolar 15 4
escolha *f* 13 3
escolher 3 22
escravo/-a *m/f* 17 3b
escrever 1 21
escrito/-a 2 8
escritor/-a *m/f* 10 16
escritório *m* 15 5a
esculpido/-a 16 9
escuna *f* 9 12
escuro/-a 6 9
escutar 7 13
espaço *m* 13 9b
espalhado/-a 17 13a
especial 6 3
especialidade *f* 5 13
especialista *m/f* 12 14b
especializar(-se) (em) 4 2
especificamente 18 17
especificar 17 3b
espelho *m* 14 8a
esperança *f* 17 14
esperar 11 18
espetáculo *m* 16 AB 4
espontâneo/-a 11 19
esporte *m* 3 12
esportista *m/f* 3 19
esportivo/-a 16 3
esquecer 13 14b
esquerda *f* 13 14b
esquerdo/-a 8 13
esquiar 9 1
esquina *f* 8 8

Glossário por ordem alfabética

fiscalizar **17** 15
físico/-a **12** 6
fita *f* **18** 11
fitinha *f* **18** 11
flauta *f* **9** AB 1
flexível **15** 6a
flor *f* **3** 12
floresta *f* **13** 10
florestal **8** 3
fluência *f* **15** 2
fluente **15** 1
fofoca *f* **18** 8
fogão *m* **13** 1
fogão *m* a lenha **13** 1
fogo *m* de artifício **18** 13
fogueira *f* **18** 13
folclore *m* **10** AB 10
folclórico/-a **16** AB 5
folha *f* **14** 3
folia *f* **18** 17
folião *m* **18** 20a
fome *f* **5** 8a
fone *m* **9** 12
fora **10** 19, **13** 10
forma *f* **14** 17
formação *f* **15** 4
formando/-a *m/f* **15** 18
formar **17** 2
formar-se **15** 9a
formato *m* **18** AB 13a
formatura *f* **18** 1a
fornecedor/a *m/f* **7** 13
fornecer **12** 14b
forró *m* **3** 7
forte **10** 9a
foto *f* **1** 10a
fotogênico/-a **14** 17
fotografar **17** 9a
fotografia *f* **9** 12
fraco/-a **7** 13
frango *m* **5** 7
freguês/esa **11** 11
frente *f* **13** 11, **14** 12
frente *f* fria **16** 14a
frequência *f* **7** 17
frequentar **15** 15
frequente **1** 16
frevo *m* **2** 10
frigobar *m* **6** 1
frio *m* **11** AB 2
frio/-a **5** 17
frito/-a **5** 7
frustrado/-a **13** C14
fruta *f* **5** 5b
frutos *m* Pl do mar **5** 13
fubá *m* **18** AB 13a
fugir (para) **13** 14b

fumaça *f* **16** AB 4
fumar **12** 1
funcional **14** AB 13
funcionamento *m* **12** 14b, *J* 3
funcionar **6** 8
funcionário/-a **14** 16
fundar **15** 15
fundo *m* **14** 6a
fusão *f* **18** 20a
futebol *m* **3** 21

G

gado *m* **16** 17c
galera *f ugs* **18** 11
galeria *f* **14** 17
galeria *f* de artes **2** AB 15
ganhar **10** 11, **15** 3
ganho *m* **17** 13b
garagem *f* **14** 4a1
garantir **17** 7a
garçom *m* **13** 8a
garfo *m* **5** 9
garganta *f* **12** 9
garimpeiro *m* **17** 13b
garoto/-a *m/f* **1** 19
garrafa *f* **4** 15
gás *m* **5** AB 6
gastador/a **11** 19
gasto *m* **18** 19
gastronomia *f* **9** 12
gaveta *f* **14** AB 10
geladeira *f* **14** 8a
geléia *f* **12** 13a
gelo *m* **5** AB 6
gema *f* **18** AB 13a
gêneros *m pl* alimentícios **11** 18
geológico/-a **16** 10
geral **15** 1
geralmente **7** A
gerente *m/f* **14** 1a
ginásio *m* **18** 11
ginásio *m* de esportes **8** 1
ginástica *f* **7** 1
gincana *f* **18** 13
gol *m* **10** 16
golpe *m* militar **13** 14a
gordinho/-a **3** 15
gordo/-a **3** 15
gordura *f* **12** 14b
gorduroso/-a **12** AB 16
gorjeta *f J* 6
gostar de **5** C
gosto *m* **6** 3
gostoso/-a **5** 2
gourmet *m* **15** AB 16a
governo *m* **17** 7a
governo *m* militar **13** 14b

graça *f* **10** 25
graças a Deus **13** AB 12a
gracinha *f* **3** 7.2
graduação *f* **15** 5a
graduado/-a **15** 5a
grama *m* **5** 5a
grande **3** 1
gratificante **15** 11b
grátis **15** 6a
gratuito/-a **17** 9a
grau *m* **15** 1
gravar **10** 19
gravata *f* **11** 14
grave **12** 10b
grelhado/-a **5** 7
gripe *f* **10** 9a
grosso/-a **5** 1
grupo *m* **2** 3
guaraná *m* **5** 7
guardanapo *m* **5** 9
guardar **14** 2
guerra *f* **13** 16
guerra *f* mundial **13** 16
guia *m* **4** 10
guiar **16** 10

H

há (haver) **8** 2
há anos **11** 8
há mais de 20 anos **3** 7.2
há muito tempo **3** 7 2
há pouco tempo **3** 7 1
há quanto tempo? **3** 7 3
habilidade *f* **15** 11a
habitação *f* **17** 3b
habitante *m/f* **8** AB 4
hábito *m J* 3
habitual **18** 17
hambúrguer *m* **12** 1
harmonia *f* **10** 19
hein? **2** 18
herança *f* **17** 3b
herói/-oína **17** 13a
hidrelétrica *f* **17** 13b
hidroginástica *f* **9** 4
hidromassagem *f* **6** AB 5
hipertensão *f* **12** 3
história *f* **4** 18
histórico *m* da hospedaria **17** 9a
histórico/-a **6** 3
hobby *m* **3** AB 13
hoje **5** 8a
holocausto *m* **17** 9a
homem *m* **11** 1
hora *f* **6** 3
horário *m J* 3 **15** 1
horrível **10** 5b

hospedagem *f* **16** AB 4
hospedar-se **6** AB 2
hóspede *m/f* **6** 8
hospital *m* **2** 13
hotel *m* **1** 18
hotel-fazenda *m* **6** AB 5
humanidade *f* **16** 9
humano/-a **14** 17
humor *m* **11** 21
humorado/-a **14** 17

ícone *m* **17** 9b
idade *f* **2** AB 19
ideal **5** 13
identidade *f* **17** 3b
identificar **3** 18
idioma *m* estrangeiro **15** 5a
igreja *f* **4** 8
igualdade *f* **17** 7a
igualmente **10** 19
ilegal **11** 21
ilha *f* **4** 19, **13** AB 12a
ilustração *f* **7** 1
ilustrado/-a **4** 19
imagem *f* **4** 19
imaginar **14** 17
imediato/-a **15** 1
imigrante *m/f* **11** 21
imobiliária *f* **14** 4a1
imóvel *m* **14** 5
impaciente **12** 2
impeachment *m* **13** 14a
impedir **17** 13b
importância *f* **9** 9a
importante **4** 18
impressionante **16** 10
improvisar **18** 21
inaugurado/-a **14** 16
inaugurar *J* 6
incêndio *m* **13** 10
incluído/-a **6** 3
incluir **6** AB 9
incomodar **14** 6b
incrível **13** AB 1
independência *f* **4** 18
indescrítivel **16** 10
indiferente **14** 17
indígena **16** 9
índio/-a *m/f* **11** AB 16
individual **15** 1
inesperadamente **18** 8
infância *f* **14** 12
infelizmente **4** 12a
influência *f* **16** 9
influenciar **17** AB 3
informação *f* **8** 14

informal **5** 13
informar(-se) **6** AB 9
informática *f* **15** 1
informatização *f* **15** 5a
infraestrutura *f* **14** 17
ingressar **15** 9a
inicial **15** 6a
iniciar **10** AB 17
iniciativa *f* **15** AB 6a
início *m* **7** 13
inovador/a **15** C
inscrição *f* **17** 9a
insensato/-a **18** 19
insolação *f* **16** 10
inspirar **18** 20a
instável **16** 14a
institucional **17** 9a
instrumento *m* **1** 18
instrumento *m* de percussão **18** 17
instrumento *m* de sopro **18** 17
integração *f* **11** AB 17
integrar(-se) **17** 9a
inteiro/-a **13** 2
intensificar **16** 17b
intenso/-a **13** 10, **13** 14
interessado/-a (em) **6** 12
interessante **1** 6
interessar-se (por) **3** 12
interesse *m* **3** 22
interior *m* **13** 2
interior *m* **15** 15
internacional **10** 16
internet *f* **6** 1
interpessoal **15** 1
introduzir **17** 3b
inundação *f* **16** AB 18
inundar **17** 13b
inventar **13** AB 15
inverno *m* **11** 2
investigador/a *m/f* **13** AB 11
ioga *f* **16** 2a
iogurte *m* **5** 1
ir (a, para) **4** 2
ir à balada **11** AB 6
ir às compras **4** B
ir dormir **7** 18
ir embora **13** AB 4b
ir para a cama **7** 11
irmã *f* **3** 1
irmão *m* **3** 1
irregular **12** 5b
irreverência *f* **18** AB 13a
isolado/-a **13** 1
isso **4** 14
isto **1** C

J

já **1** 17
jacaré *m* **4** 9
janeiro *m* **4** 5
janela *f* **14** 17
jangada *f* **16** 10
jantar **5** 13
jantar fora **10** 8
jantar *m* **5** 13
jardim *m* **6** 3
jardinagem *f* **14** 5
jardineiro/-a *m/f* **7** 13
jeito *m* **9** 8
jipe *m* **16** AB 14
joelho *m* **12** 8
jogador/a *m/f* **2** 10
jogar **2** 3, **14** 17
jogo *m* **6** AB 15
jornada *f* (de trabalho) **12** 3
jornal *m* **2** 8
jornalismo **14** 17
jornalista *m/f* **2** 11
jovem *m/f* **2** AB 19
judaico/-a **17** 9a
judeu *m* **17** 9a
judia *f* **17** 10
julho *m* **4** 5
junho *m* **4** 5
juntamente **10** 19
juntar **18** 21
juntar-se **17** 2
junto/-a **10** AB 4
juro *m* **11** 10
justamente **18** 6b
justificar **9** 10c
justo/-a **11** C, **15** 8
juventude *f* **14** 13a

K

kite *m* **16** AB 4

L

lá **4** 9
lã *f* **11** 1
lado *m* **14** 6b
ladrão *m* **13** 11
lago *m* **16** 14c
lagoa *f* **16** 9
lagosta *f* **17** 13b
lambada *f* **2** 10
lanche *m* **7** 13
lápis *m* **14** AB 10
lar *m* **14**
laranja **11** 6a
laranja *f* **5** 5b
laranjeira *f* **14** 12
largo/-a **6** 12

Glossário por ordem alfabética

lasanha *f* **5** 13
lata *f* **5** 5a
latir **13** 10
lavabo *m* **14** 1a
lavar **14** 2
lavrador *m* **16** 17b
lazer *m* **6** 12
legal **13** AB 4b
legume *m* **5** 7
leguminosas *f Pl* **12** 14b
leite *m* **5** 1
leitor/a *m/f* **17** 13c
leitura *f* oficial **7** 4
lembrança *f* **16** AB 13
lembrar-se **3** 5
lenço *m* **18** 13
lentilha *f* **12** 14a
lento/-a **13** AB 7
ler **2** 14
levantamento *m* **18** 13
levantar **13** 8a
levantar-se **7** 9
levar (a) **12** 3
levar *J* **3, 4** 12a
leve **9** 12
liberar **16** 1
liberdade *f* **14** 15a
licença *f* **7** C
líder *m/f* **17** 7a
ligar (para) **10** 2
lilás **11** 6a
limão *m* **5** 1
limpar **7** 15
limpeza *f* **14** 16
limpo/-a **8** 3
lindo/-a **3** AB 8
língua *f* **2** 8
língua *f* estrangeira **2** 13
linguístico/-a **17** 3b
linha *f* **8** 16
liquidação *f* **11** 13
lista *f* **1** 15
lista *f* telefônica **17** 1
listrado/-a **11** 6a
literatura *f* **16** 17b
literatura *f* de cordel **18** 13
litoral *m* **16** 14a
livraria *f* **8** 1
livre **6** 7
livro *m* **6** 12
lixo *m* **14** 16
local *m* **8** 6b
local *m* turístico **9** 12
localizar(-se) **8** 12
logo **1** 9
loiro/-a **3** 15
loja *f* de departamento **11** 18

loja *f* **4** 13
loja *f* popular **11** 18
longe **6** 4
longo/-a **3** 16
loteria *f* **18** 4
louco/-a **11** AB 13
loucura *f* **11** 21
lua de mel *f* **18** AB 4
lugar *m* **4** 9
luta *f* **17** 7a
lutar **13** 14b
luto *m* **13** 14b
luxo *m* **6** AB 8
luxuoso/-a **13** 12a
luz *f* **13** 1

M

má *f* **12** *Gr*
maçã *f* **5** 5b
macio/-a **5** 8a
madeireiro *m* **17** 13b
madrugada *f* **7** 13
mãe *f* **3** 1
maestro/-a *m/f* **10** 19
magia *f* **16** 10
magro/-a **3** 15
maiô *m* **11** 1
maio *m* **4** 5
maior **11** 10
mais… que… **11** 14
mais **1** 15, **2** 18
mais de **3** 10
maître *m* **15** 15
mal **12** 10b
mala *f* **6** 8
malha *f* **11** 1
malpassado/-a **5** 8a
mandar **6** AB 9, **17** 13b
mandioca *f* **5** 1
maneira *f* **12** 14b
manga *f* **11** 1
manga *f* **5** 7
mangueira *f* **14** 12
manhã *f* **7** 12
manifestação *f* **17** 13b, **17** 9a
manifestante *m/f* **17** 13b
manifestar(-se) **17** 6
manteiga *f* **10** AB 8
manter(-se) em forma **12** C
manual **15** 11a
mão *f* **12** 8
mapa *m* **4** 19
mapa *m* da cidade **4** 10
máquina *f* **6** 8
máquina *f* de lavar roupa **14** 2
mar *m* **5** 13
maracujá *m* **5** 5a

maravilhoso/-a **6** 12
marca *f* **2** AB 8
marcar **3** 19
marcar um gol **18** 11
marcha *f* **17** 13b
março *m* **4** 5
margem *f* **17** 13a
maria-fumaça **16** AB 4
marido *m* **3** 1
mármore *m* **14** 6b
marrom **11** 6a
mas **1** 8
masculino/-a **2** 12
massa *f* **5** 13
massagem *f* **12** 12b
mastro *m* **18** 13
mata *f* **17** 13a
Mata *f* Atlântica **17** 13b
matar **18** AB 3a
matar as saudades **18** AB 3a
matéria *f* **13** 7a
material *m* **7** 13
mato *m* **13** 1
mau *m* **12** *Gr*
mecânico/-a *m/f* **2** 11
médica-cirurgiã *f* **15** 11a
medicina *f* **15** 15
medicinal **17** 3b
médico-cirurgião *m* **15** 15
médico/-a *m/f* **2** 11
medir **12** 10b
meditação *f* **16** 2a
meditar **12** 6
medo *m* **13** 10
megalópole *f* **17** 9a
meia **1** 14
meia *f* **11** 1
meia-noite *f* **7** 4
meio *m* ambiente **6** 12
meio *m* de transporte *J* 3
meio período *m* **15** 3
meio/-a **4** 2
meio-dia *m* **7** 4
mel *m* **12** 13a
melancia *f* **5** 5b
melão *m* **5** 7
melhor **5** 13
melhorar **17** 7a
memória *f* **11** 6a
memorial *m* **17** 9a
mencionado/-a **3** 19
mencionar **15** 13
menina *f* **3** 2
menino *m* **3** 7
menos **2** 9
menos… que… **11** 14
mental **15** 15

mente *f* 12
mentira *f* 13 AB 11
mercado *m* 7 16
merecer 13 14b
mergulhar 13 AB 12a
mergulho *m* 16 AB 1
mês *m* 3 10
mesa *f* 13 8a
mesmo 3 AB 6
mesmo que 7 15
mesmo/-a 11 8
mestiço/-a 17 AB 8b
mestre *m/f* 10 19
mestre-sala *m* 18 17
metade *f* 10 19
metrô *m* 8 16
metro *m* quadrado 14 16
meu *m* 1 1
Meus parabéns! 18 3
mexer 18 20a
microcosmo *m* 14 17
migração *f* 16 17a
migrante *m/f* 18 20a
migrar 16 17b
milhão *m* 10 19
milho *m* 17 3b
militante *m/f* 13 14b
militar *m* 13 14b
mineiro/-a 10 11
mineração *f* 17 3b
mineral 4 10
mineral *m* 12 14b
minha *f Sg* 3 1
minuto *m* 7 3
miscigenado/-a 17 2
missa *f* 18 11
mística *f* 11 21
misto/-a 5 7
mistura *f* 18 20a
moça *f* 3 7
moda *f* 11 AB 13
modalidade *f* 16 4b, 18 20a
modelo *m* 17 13b
modelo *m/f* 12 13a
modernidade *f* 16 AB 14
moderno/-a 5 13
modinha *f* 18 13
mole 18 20b
molhado/-a 13 11
molho *m* 5 2
molho *m* vinagrete 5 2
momentinho *m* 5 8a
momento *m* 6 12
monitor/a *m/f* 15 6a, 17 9a
monótono/-a 10 10
montanha *f* 6 3
montar 12 14b

monte *m* 16 10
monumento *m* 16 10
moqueca *f* de peixe 5 7
moradia *f* 13 AB 6
morador/a *m/f* 6 12
morar (em) 1 6
moreno/-a 3 15
morrer 10 11
morrer de medo 13 10
morro *m* 17 13b
morte *f* 17 7a
mosaico *m* 17
mosquito *m* 6 16
mostrar 6 8
motivante 15 AB 11
motivo *m* 4 14
moto *f* 15 1
motoboy *m* 15 1
motor *m* 2 13
motorista *m/f* 15 AB 10b
mousse *f* 5 7
móvel *m* 14 8a
mover 18 21
movimentar 18 18
movimentar-se 14 5
movimento *m* 17 7b
muda *f* 7 13
mudança *f* 14 8a
mudar (de linha) 8 16
mudar 6 9
mudar-se (para) 10 23
muitas vezes 7 15
muito/pouco tempo 3 10
muito 1 5
Muito prazer. 1 5
mulato/-a 17 1
mulher *f* 3 1
multidão *f* 18 AB 13a
multiplicidade *f* 17 1
multirracial 17 2
mundial 10 11
mundo *m* 2 3
municipal 8 9
município *m* 17 13b
Munique 1 7
mural *m* 15 2
muro *m* 13 15
museu *m* 1 AB 7
música *f* 2 10
musical 1 18
músico/-a *m/f* 10 16

N

na (em + a) 2 3
nacional 10 19
nacionalidade *f* 2 9
nada 5 AB 9

nadador/a *m/f* 3 12
nadar 6 12
namorado/-a *m/f* 2 18
namorar 15 AB 16a
não 1 6
naquela (em + aquela) 13 2
naquela época 13 2
naquele (em + aquele) 13 2
nariz *m* 12 8
nascer 10 18
nascido/-a 13 16
nascimento *m* 18 4
natação *f* 16 AB 1
Natal *m* 11 21
nativo/-a 15 1
natural 9 12
natureza *f* 6 4
navegar na internet 9 3
navio *m* 17 AB 7a
nazifascismo *m* 17 9a
né (não é) 1
necessário/-a 7 15
necessidade *f* 16 AB 13
negativo/-a 14 6c
negócio *m* 15 15
negro/-a *m/f* 17 1
nem… nem… 5 13
nenhum/a 9 8
nervoso/-a 3 20
nevar 16 14a
ninguém 10 2
nível *m* 14 17
no (em + o) 1 16
noite *f* 1 1
nome *m* 1 1
Nordeste *m* 4 AB 6
normalmente 7 13
nós 1 7
nos fins de semana 7 15
Nossa! 3 1
nosso/-a 3 7
nota *f* 10 19
notar 16 9
notícia *f* 7 13
noturno/-a 16 9
novela *f* 13 AB 3
novembro *m* 4 5
novo/-a 3 7
num (em + um) 2 13
numa (em + uma) 2 13
numerar 10 25
número *m* 1 14
nunca 7 15
nutriente *m* 12 14b
nutriocinista *m/f* 12 14b

O

o 1 1
o que? 1 C
o/a maior 11 15
o/a melhor 4 19
objetivo *m* 10 8
objeto *m* 13 10
obra *f* 10 19
obrigada 1 10a
obrigado 1 10a
obrigatório/-a 17 7c
observação *f* 16 AB 4
observar 11 6a
obter 14 16
ocorrer 17 13b
óculos *m pl* 3 15
ocupado/-a 6 8
ocupar 17 13b
odiar 18 AB 18
odor *m* 13 7a
oferecer 6 3
oferta *f* 11 10
office boy *m* 15 1
oficina *f* 18 13
ofício *m* 15 15
oi 1 B
óleo *m* 5 5a
olhar 1 10a.1
olhar *m* 9 12
olho *m* 12 8
ombro *m* 12 8
onde? 1 6
ONG *f* (organização não
    governamental) 6 12
ônibus *m* 6 3
ontem 10 12
opção *f* 15 15
opcional 16 10
operar 15 AB 6a
operário/-a *m/f* 12 13a
opinião *f* 11 17
oportunidade *f* 11 13
opositor/a *m/f* 13 14b
optar (por) 15 AB 14
ordem *f* 9 10b, 17 13b
ordenar 10 23
orelha *f* 12 8
orgânico/-a 13 AB 15
organização *f* 6 12
organizado/-a 6 12
organizar 6 12
orientação *f* 12 14b
Oriente *m* Médio 17 2
origem *f* 17 AB 8c
original 14 AB 5
orixá *m Pl* 17 3b
orquídea *f* 9 4

ortopedista *m/f* 12 12b
ótimo/-a 5 2
ou 2 12
ouro *m* 11 AB 3
outono *m* 11 2
outro/-a 2 3, 5 10
outubro *m* 4 5
ouvido *m* 12 9
ouvir 1 10a
ovo *m* 5 5a

P

pacato/-a 3 20
paciência *f* 11 23
pacote *m* 5 5a
padaria *f* 4 11
padre *m* 15 15
paella *f* 5 13
pagamento *m* 11 10
pagar 6 8
página *f* 6 AB 6
pagode *m* 18 20a
pai *m* 3 1
país *m* 2 1
paisagem *f* 16 10
palavra *f* 3 15
palavra-chave *f* 13 7b
palha *f* 18 13
palmito *m* 5 7
pamonha *f* 17 3b
pancadas *f Pl* de chuva 16 14a
pandeiro *m* 18 20a
pão *m* 4 10
pão *m* de queijo 10 11
papagaio *m* 13 AB 1
papaia *f* 5 5b
papel *m* 11 11, 14 3
paquera *f* 16 AB 1
paquerar 16 2a
par *m* 4 13
para 2 14, 4 2
para fora 13 10
para frente 18 20a
para mim 5 8a
para onde? 4 8
para trás 18 20a
parabéns *m Pl* 18 3
parada *f* de sucesso 10 19
parágrafo *m* 11 22
paraíso *m* 16 AB 14
parar 13 10
parceiro/-a *m/f* 7 13
parceria *f* 10 18
parcialmente nublado 16 14a
pardo/-a 17 2
parecer 2 5
parecido/-a 10 3

parede *f* 14 6b
parente *m/f* 18 11
parque *m* 7 7
parque *m* florestal 8 3
parte *f* 7 13
participação *f* 9 12
participante *m/f* 13 14a
participar (de) 4 AB 6
partida *f J* 1, 9 12
partido *m* alto 18 20a
partir de 17 7c
passado *m* 17 11
passado/-a 10 8
passagem *f* 4 21
passaporte *m* 6 7
passar 8 3
passar por *J* 3
passar as férias 6 4
passar no teste 7 15
passar roupa 7 15
pássaro *m* 13 12a
passear 9 AB 14
passeata *f* 13 14b
passeio *m* 6 16
passo *m* 4
pastel *m* 9 12
pastilha *f* 12 12b
pastor *m* alemão 14 5
paterno/-a 17 AB 9
patrimônio *m* 16 9
paulista *m/f* 17 9a
paz *f* 16 10
pé *m* 8 16
peça *f* (de roupa) 11 4
peça *f* 9 10a
pecuária *f* 17 13a
pecuarista *m/f* 18 14
pedaço *m* 12 14b
pedido *m* 15 AB 4
pedido *m* 5 12
pedir 5 8a
pedra *f* 16 10
pegar 8 16, 13 11
peito *m* 12 8
peixe *m* 5 7
pela (por + a) 4 2
pela uma 7 9
pelo (por + o) 4 2
pelo contrário 6 AB 12
pelo menos 9 2
pensão *f* 6 3
pensar (em) 12 1
pepino *m* 5 1
pequeno/-a 4 14
perceber 13 10
percorrer 16 AB 14
perder 10 13

perder a hora **10** 15
pergunta *f* **1** 7
perguntar **1** 11
perigo *m* **13** 14b
perigoso/-a **13** 2
período *m* **16** 14c
período *m* integral **15** 3
permitir **15** 15
perna *f* **12** 8
perseguir **13** 14b
pertencer **17** 3b
perto (de) **8** 2
peru *m* **18** AB 10
pesado/-a **7** 13
pesar **14** 17
pesca *f* **17** 13a
pescador *m* **17** 13a
pescar **9** 6a
pescoço *m* **12** 8
peso *m* **18** 20a
pesquisa *f* **4** 21
pessoa *f* **2** 5
pessoal **10** 14
pessoal *m* **15** 9a
petisco *m* **5** 13
pianista *m/f* **10** 19
piano *m* **9** AB 8
picante **5** 8a
pico *m* **15** 15
pictograma *m* **6** 1
pimentão *m* **5** 1
pinga *f* **3** AB 17
pintar **13** 14b
pintor/a *m/f* **10** 18
pintura *f* **16** 10
pintura *f* rupestre **16** 9
pioneiro/a *m/f* **10** 16
piorar **16** 17b
piquenique *m* **16** 14c
pirâmide *f* **12** 14b
pirão *m* **5** 7
piscina *f* **6** 1
pista *f* **12** 10a, **14** 16
pizzaria *f* **8** 9
placa *f* **8** 10
planejar **11** 4
plano *m* **14** 11
planta *f* **4** 2, **14** 1a
plantação *f* **16** 17b
plantar **7** 13
pneu *m* **13** 8a
pobre **11** 21
pobreza *f* **6** 12
poder **1** 21
poder *m* **13** 14b
poema *m* **10** 25
poeta/-isa *m/f* **10** 19

pois **4** 9
pois não **11** 10
política *f* **10** 11
político/-a **17** 3b
polo *m* turístico **16** 4b
poltrona *f* **14** 8a
poluição *f* **8** 3
poluído/-a **16** AB 11
pomada *f* **12** 12b
ponte *f* **8** 13
ponto *m* **2** 18
ponto *m* de encontro **14** 17
ponto *m* de ônibus **8** 18b
ponto *m* final **8** 18b
população *f* **16** 17b
popular **4** 2
pôr **10** 21
por **3** 12, **7** 18
por ano **6** 12
por causa de **8** 3
por cento **17** C
por enquanto **15** 9a
por favor **1** 15
por isso **6** 4
por que? **4** 1
por si mesmo **18** 20a
porção *f* **12** 14b
porque **4** 1
porta *f* **13** 8a
porta-bandeira *f* **18** 17
portanto **16** 4b
portão *m* **14** 15a
porteiro/-a *m/f* **14** 15a
porto *m* **13** AB 12a
pós-graduação *f* **15** 5a
posição *f* **15** 1
positivamente **10** 8
positivo/-a **14** 6b
posse *f* **17** 13b
posseiro *m* **17** 13b
possível **10** 23
possuir **14** 5a
posto *m* **15** 7
posto *m* de gasolina **7** AB 7
potável **6** 12
pouco **2** 9
pousada *f* **4** 19
pousar **13** 12a
povo *m* **17** 6
praça *f* **1** 18
praça *f* arborizada **14** 6a
praia *f* **4** 19
prática *f* **15** AB 16a
praticar **16** 4b
praticar esporte **12** 4
praticar windsurf **16** 2a
prático/-a **14** 6b

prato *m* **5** 7
prato *m* do dia **5** 7
prato *m* principal **5** 7
prazer *m* **1** 5
precisar (de) **5** 1
preciso **12** 3
preço *m* **4** 13
preço *m* rebaixado **11** 13
preconceito *m* **17** AB 6
predileto/-a **14** 12
prédio *m* **8** 12
predomínio *m* **16** 14a
preencher **3** 5
Prefeitura *f* Municipal **8** 9
preferência *f* **12** AB 8
preferido/-a **5** 18
preferir **5** 8a
pré-histórico/-a **16** 10
prejudicar **17** 13b
prejuízo *m* **17** 13b
prêmio *m* **10** 19
preocupação *f* **10** AB 2
preocupado/-a **13** 14b
preocupar-se (com) **12** 10b
preparar **7** 13
preparo *m* físico **16** AB 14
presença *f* **17** 9a
presente **16** 17b
presente *m* **10** 2
presépio *m* **18** 11
preservação *f* **17** 8
preservar **17** 7a
pressa *f* **12** 3
prestação *f* **11** 10
prestar atenção **17** 5b
prestar serviço **15** 15
prestigiado/-a **15** 12
prestígio *m* **14** 17
presunto *m* **12** 14a
pretender **18** 12
preto/-a **2** 2
preto-metálico/-a **13** 12a
prezado/-a **15** 5a
primavera *f* **11** 2
primeiro **5** 8a
primeiro/-a **1**
primo/-a **3** 2
principal **6** 3
problema *m* **5** AB 9
processar-se **17** 12
processo *m* imigratório **17** 9a
procurar **3** 10
produção *f* **2** 14
produto *m* **4** 10
produzir **17** 7a
professor/a *m/f* **2** 11
profissão *f* **2** 11

Glossário por ordem alfabética

profissional 10 16
programa m 9 B, 17 7a
programação f 17 9a
programador/-a m/f 2 15
progredir 15 AB 16a
progresso m 17 13b
projeto m 2 14
prolongar 16 4b
promoção f 17 7a
pronto/-a 12 AB 4
propor 9 10c
proporção f 15 11a
proposta f 15 15
propriedade f 17 7a
próprio/-a 15 1
prospecto m J 3
prosseguir 16 17b
prostituta f 14 17
proteína f 12 14b
protestar 17 13b
protetor m solar 4 10
prova f 7 AB 15
provador m 11 10
provocar 16 14a
próximo/-a 1 9
psicólogo/-a 15 9a
publicar 15 AB 6b
público m 10 19
público/-a 15 15
pudim m 5 7
pular 13 10
pular sete ondinhas 18 11
pulôver m 11 1
pulsar 18 20a
puramemte 14 AB 4
Puxa! 1 6

Q

quadril m 18 20a
quadrilha f 18 13
quadro m 13 14c, 14 8a
qual/quais 1 15
qualidade f 2 AB 15
qualificação f 15 5b
quando 7 15, 13 2
quando? 1 3
quantidade f 11 21
quanto? 2 18
quarta-feira f 5 13
quarteto 9 10a
quarto m 6 3
quase 7 15
quase pronto 13 C
que 1 6, 2 5
que 2 5
Que azar! J 2
Que interessante! 1 6

Que pena! J 2
Que horas são? 7 4
Que legal! 3 7
que tal...? 5 2
quebrar 16 10
queda f 13 15
queijo m 5 5a
queijo de minas m 5 5a
queixo m 12 8
quem? 2 6
quente 5 17
querer 4 1
querido/-a 6 12
quermesse f 18 13
questionário m 7 15
quilo m 5 2
quilombo m 17 7a
quilombola m/f 17 13a
quilômetro m 4 20
quinta-feira f 5 13
quintal m 9 12
quitinete f 14 4a3

R

racial 17 2
rádio m 10 12
rádio f 2 20
rafting m 16 4b
raiz f 5 13
ramo m 15 1
rampa f 14 17
rancho m 18 20a
rapaz m 3 1
rapidamente 13 8a
rápido/-a 13 8a
raramente 7 15
reação f 11 8
reagir 17 13b
real m (R$) 4 12a
realidade f 11 21
realizar 13 AB 15
rebolar 18 20a
recado m 9 9a
receber J 3, 14 12
receita f 12 AB 12
receitar 12 10b
recepção f 6 7
recepcionista m/f 2 15
reciclagem f 14 16
recital m 18 13
reclamar 15 AB 9
recolher 13 7c
recomendar 5 8a
recomendável 15 9a
reconhecer(-se) 13 7c
recordação f 13 7a
recordar 13

recorde m 18 18
reco-reco m 18 20a
recreação f 15 6a
recrutamento m 15 9a
recuperar 14 17
recusar 9 10c
rede f 6 12
redistribuir 13 7c
reduzir 12 4
reencontrar 15 AB 16a
reestruturação f 15 13
refeição f 12 14a
referente (a) 17 9a
referir-se (a) 10 20
reforçar 14 17
refrigerante m 5 7
refugiado/-a m/f 17 10
regar 7 13
regente m/f 18 17
reger 18 17
região f 6 12
regime m 13 14b
registrar 17 9a
registro m 15 5a
regular 12 5b
rei m Momo 18 17
reinar 18 17
reivindicação f 17 13b
reivindicar 17 AB 13
relação f 17 13a
relacionamento m 15 1
relacionar (a) 1 7
relatar 13 6
relativo/-a 16 14a
relato m 13 10
relaxamento m 16 AB 1
relaxante 12 4
relaxar 14 AB 13
reler 6 13
religião f 17 3b
religioso/-a 18 10b
relógio m 7 6
remédio m 12 10a
renomado/-a 15 15
repartição f 15 AB 1
repentista m/f 18 13
repertório m 9 14
repetir 2 16
representante m/f 17 13c
representar 11 12
requisito m 15 6a
reserva f ecológica 1 18
reserva f 1 18, 6 AB 9
reservar 10 AB 13
resfriado/-a 12 9
resgatar 17 9a
residência f 14 AB 4

resistência *f* **17** C
resistir **11** 21
resolver **15** 15, **16** 12
respeitar **17** 13b
responder *J* 1
responsabilidade *f* **15** 3
responsável **10** 19
resposta *f* **1** 7
restaurante *m* **4** 19
restrição *f* **15** 15
resultado *m* **10** C
retirante *m/f* **16** 17b
retornar **7** 13
reunião *f* **6** 12
Réveillon *m* **18** 11
revelação *f* **13** 14b
revelar **13** 13
revestir **16** 9
revista *f* **15** 15
rico/-a *J* 3
rio *m* **6** 12
rir **12** Gr
ritmista *m/f* **18** AB 13a
ritmo *m* **9** 12
ritual *m* **18** 20a
roça *f* **13** 2
rocha *f* **16** 9
rodada *f* *J* 1
rodeio *m* **18** 13
rodovia *f* **17** 13b
roleta *f* **18** 13
rosa **11** 6a
rosa *f* **3** AB 13
rosto *m* **12** 8
roteiro *m* **4** 19
rotina *f* **7** AB 7
roubar **13** AB 11
roupa *f* **7** 15
roupa *f* de cama **14** 2
rua *f* **2** AB 15
rúcula *f* **5** 1
ruim **12** Gr
rumba *f* **2** 10

S

sábado *m* **5** 13
saber **1** 17
sabonete *m* **4** 10
sabor *m* **13** 7a
saci *m* **8** 8
saia *f* **11** 1
saída *f* **6** AB 8
sair **7** 7
sal *m* **5** 1
sala *f* de estar **14** 1a
sala *f* de jantar **14** 1a
salada *f* **5** 2

salário *m* **15** 1
salgado/-a **5** 17
samba *m* **1** 18
samba *m* de raiz **9** 12
samba *m* de roda **18** 20a
samba-canção *m* **18** 20a
samba de breque *m* **18** 20a
samba-enredo *m* **18** 17
Sambódromo *m* **18** AB 13a
sandália *f* **4** 13
sandálias *f Pl* havaianas **4** 13
sanduíche *m* **12** 3
sanidade *f* **15** 15
santo/-a **18** 13
sapato *m* **11** 14
satélite *m* **4** 19
saudação *f* **15** AB 6a
saudável **12** 6
saúde *f* **12**
sauna *f* **6** 1
se **1** 19
seca *f* **16** 17b
seção *f* **2** 14
secretaria *f* **17** 7a
secretária *f* eletrônica **18** 6a
secretário/-a **2** 11
secreto/-a **18** 11
século *m* **6** AB 5
seda *f* **11** 1
sede *f* **5** 8a
segmento *m* **15** AB 6a
segregação *f* **14** 17
seguinte **2** 3
seguir **8** 13
segunda-feira *f* **5** 13
segundo *m* **11** 6a
segundo/-a **6** 7
segundo (2°) grau **15** 1
segundo ele **15** 15
segurança *m/f* **14** 16
seguro *m* **14** 5
seguro/-a **14** 15a
seio *m* **18** 18
seleção *f* **15** 9a
seleção *f* brasileira **10** 16
selecionar **15** AB 6a
selo *m* **4** 10
sem **1** 21
semana *f* **1** 9
semana *f* passada **10** 14
Semana *f* Santa **16** 4b
semanal **7** 13
semelhança *f* **14** 1b
semelhante **14** 19
semestre *m* **4** 2
sempre **6** 12
senhor (o) **1** 10a

senhora (a) **1** 10a
senso *m* **15** 11a
sentado/-a **13** 8a
sentar-se *J* 3
sentir **15** 15
sentir a falta **15** 13
sentir(-se) **12** 10a
separadamente **13** AB 11
separar(-se) **18** 20b
sequência *f* **1** 13
ser **1** 1
será que...? **16** 15
série *f* **13** 14b
sério/-a **3** 19, **15** AB 9
serra *f* **6** A
sertanejo/-a **10** 11
sertanejo/-a *m/f* **16** 17b
sertão *m* **16** 17c
serviço *m* **5** 18
serviço *m* de monitoria **17** 9a
serviço *m* de ônibus **6** 3
servir **5** A
servir (para) **5** 9
setembro *m* **4** 5
setor *m* **12** 14b
seu *m* **1** 1
sexta-feira *f* **5** 13
Sexta-feira Santa *f* **18** 10a
sexual **14** 17
significado *m* **13** 14b
significar **1** 18
silêncio *m* **13** 8a
sim **1** 7
simpático/-a **3** 1
simples **6** 3
simpósio *m* **17** 9a
sinal *m* **8** 13, **13** 14b
sincretismo *m* **17** 3b
sindicato *m* **13** 14b
sistema *m* **6** 12
site *m* **17** 9b
situação *f* **15** 13
só **2** 18
Só isso? **4** 14
sobrado *m* **14** 4a1
sobre **1** 17
sobremesa *f* **5** 7
sobrenome *m* **1** 16
sobretudo **17** 3b
sobreviver **17** 3b
sobrevoar **16** 10
sobrinha *f* **3** 1
sobrinho *m* **3** 1
social **10** 11
sociável **15** 6a
sociologia *f* **14** 17
soda limonada *f* **5** 7

sofá *m* 14 8a
sofisticado/-a 10 19
sofrer (de) 12 3
sol *m* 6 12
solar 4 10
soletrar 1 21
solicitar 17 10
solidário/-a 14 15a
soltar 18 20a
soltar fogos 18 11
solteiro *m* 18 7
solteiro/-a 2 18
solução *f* 11 AB 14
solucionar 15 AB 6c
som *m* 18 20a
sonho *m* 13 AB 15
sopa *f* 5 7
sorrir 18 21
sorriso *m* 18 20a
sorte *f* J 1
sorveteria *f* 8 9
sossegado/-a 13 1
sozinho/-a 7 2, 10 19
spa *m* 16 2a
sua *f Sg* 1 7
suar 13 10
subida *f* 16 AB 14
subir J 2
subitamente 13 8b
sublinhar 1 10b
subtítulo *m* 11 22
sucesso *m* 10 19
suco *m* 5 5a
suficiente 15 8
sugerir J 3
sugestão *f* 4 C
suíte *f* 6 3
sujeira *f* 11 23
sujeito *m* 18 20b
sujo/-a 11 21
sul *m* 6 12
sunga *f* 11 1
super legal 10 9a
superior 6 AB 9
supermercado *m* 4 11
suposição *f* 2 6
surgir 16 12
surpreendente 18 18
surpresa *f* 2 14
sushi *m* 5 18
suspeito/-a 13 AB 11
suspense *m* 13 8a

T

tabela *f* 2 4
taça *f* 13 14b
tamanho *m* 11 B

também 1 6
tambor *m* 17 3b
tango *m* 10 AB 11
tanto… que… 16 10
tanto/-a + *Subst.*
tão + *Adj/Adv* 7 11
tão … como 11 14
tapinha *m* J 6
tapioca *f* 18 *Gr*
tarde 7 2
tarde *f* 1 3
tarefa *f* 15 8
tartaruga *f* 16 AB 15a
táxi *m* 8 18a
tchau 1 9
teatro *m* 3 12
tecido *m* 11 21
técnico/-a *m/f* 15 AB 8
telefone *m* 1 14
telefonema *m* 7 AB 7
televisão *f* 6 3
televisão *f* a cabo 6 3
tema *m* 9 12
temperar 5 9
temperatura *f* 12 10b
tempo *m* 2 18, 6 12
temporada *f* 9 10a, 16 4b
tendência *f* 16 4a
tênis *m* 11 AB 14
tenso/-a 12 AB 9
ter 2 18
ter férias 4 5
ter provas 7 AB 15
ter que/de 5 2
ter razão 3 7.2
ter tempo 2 18
terça-feira *f* 5 13
terminação *f* 12 5a
terminar 10 2
terno *m* 11 1
terra *f* 17 3b
terraço *m* 14 4a3
terreno *m* 17 13b
terrível 12 10b
tese *f* de doutoramento 15 AB 1
testa *f* 12 8
testar 10 16
teste *m* 7 15
teu 3 *Gr*
texto *m* 2 3
tia *f* 3 1
tímido/-a 3 20
tinta *f* 18 11
tio *m* 3 1
tio-avô *m* 13 2
típico/-a 1 18
tipo *m* 4 AB 12

tipo *m* de construção 17 3b
tirar 6 12
tirar férias 15 13
tirar fotos 6 12
título *m* 13 13
título *m* de propriedade 17 7a
toalha *f* 6 AB 15
toalha *f* de praia 6 9
toca-discos *m* 2 20
tocador/a de viola *m/f* 7 13
tocar 9 1, 13 C
todo o mundo 13 3
todos os dias 7 7
todos/-as 6 12
tomar 5 8a
tomar banho 7 1
tomar banho de sol 6 12
tomar decisão 15 13
tomar iniciativa 15 AB 6c
tomar o café da manhã 7 1
tomar o ônibus 8 16
tomar o poder 13 14b
tomar sopa 5 9
tomate *m* 5 1
tomba-lata *m* 18 13
tômbola *f* 18 13
tonelada *f* 14 16
topo *m* 12 14b
torcedor/a *m/f* 13 14b
torcer (para, por) 13 14b
tornar-se 10 19
torta *f* 18 13
total 13 8a
trabalhar 2 13
trabalho *m* 2 13
trabalho *m* de conclusão 14 17
tradição *f* 18 10a
tradicional 6 3
tradução *f* 10 2
trajar 17 9a
traje *m* 17 9a
tranquilidade *f* 6 3
tranquilo/-a 3 19
trânsito *m* 12 2
transmitir 17 AB 15
transportar 17 AB 3
traslado *m* 16 4b
tratamento *m* 6 12
tratar 15 1
tratar-se (de) 11 15
travesti *m* 14 17
trazer 5 8a
treinar 7 7
trem *m* 8 18a
tribo *f* 17 13b
tripé *m* 11 21
triste 3 20

Índice de fontes

Capa: Teleférico © iStockphoto/Brasil2; Amigos © iStockphoto/
IngredientsPhoto; Kite-Surfer © Thinkstock/iStockphoto/InterestingLight;
mapas © Cartomedia Karlsruhe, www.cartomedia-karlsruhe.de
pág. 21: © fotolia/Andres Rodriguez
pág. 27: da esquerda: © Pixtal; © fotolia/Theresa DeAngelis;
    © irisblende.de; © mauritius images/COMSTOCK
pág. 32: da esquerda em cima: © fotolia/Janusz Z. Kobylanski; © MEV;
    © fotolia/PeJo; © MEV © Bildunion/Martina Berg; © fotolia/eyewave
pág. 47: © fotolia/Thomas Aumann

pág. 56: Mapa: © Instituto Municipal de Turismo – CURITIBA TURISMO
pág. 71: © Hagen Schmitt
pág. 76: © Arquivo-MHV
pág. 87: todos © Vanessa Cabral, São Paulo
pág. 91: © fotolia/Lisa F. Young
pág. 102: © Copacabana Palace
pág. 121: alle © Simone Malaguti, Munique
pág. 123: © Vanessa Cabral, São Paulo

Índice do CD

Livro de Exercícios 1–18

Faixa	Exercício		Faixa	Exercício		Faixa	Exercício
Lição 1			[34]	16		**Lição 13**	
[1]	17		[35]	18a pronúncia		[66]	4
[2]	18		[36]	18c pronúncia		[67]	12c
[3]	22		[37]	19 pronúncia			
[4]	23 pronúncia		[38]	20 pronúncia		**Lição 14**	
[5]	25 pronúncia					[68]	3a
[6]	26 pronúncia		**Lição 7**			[69]	13
			[39]	3			
Lição 2			[40]	12b		**Lição 15**	
[7]	14		[41]	19 pronúncia		[70]	12
[8]	15		[42]	20a pronúncia		[71]	17
[9]	18		[43]	21a pronúncia			
[10]	21 pronúncia		[44]	22 pronúncia		**Lição 16**	
[11]	22 pronúncia					[72]	15
[12]	23 pronúncia		**Lição 8**			[73]	19
			[45]	13			
Lição 3			[46]	17		**Lição 17**	
[13]	15b		[47]	18a pronúncia		[74]	4b
[14]	17a pronúncia		[48]	19a pronúncia		[75]	9
[15]	18a pronúncia		[49]	20a pronúncia			
[16]	19 pronúncia		[50]	21 pronúncia		**Lição 18**	
						[76–77]	6
Lição 4			**Lição 9**			[78]	12
[17]	7		[51–52]	5			
[18–20]	11		[53–54]	9			
[21]	18		[55]	17			
[22]	19 pronúncia		[56]	19a pronúncia			
[23]	20 pronúncia		[57]	20a pronúncia			
[24]	21 pronúncia		[58]	21 pronúncia			
Lição 5			**Lição 10**				
[25]	4		[59]	7			
[26]	12		[60]	13			
[27]	19a pronúncia		[61]	17			
[28]	19c pronúncia						
[29]	20a pronúncia		**Lição 11**				
[30]	20b pronúncia		[62]	5a			
[31]	21 pronúncia		[63]	12			
Lição 6			**Lição 12**				
[32]	7		[64]	9			
[33]	8		[65]	13			

Tempo de gravação: 78 minutos

© 2014 Editora Hueber, München
Locutores: Vivi Balby, Ligia Braz Correa, Ricardo Eche Pelegrino, Carlos Faria, Simone Malaguti, Isabel Oliveira-Malinowski, Sheila Alessandra Rizzato Ewert, Samuel Gustavo Santos Schumann, Nino da Silva
Produção: Estúdio de som Langer, Ismaning